Ein Mann, der keine Geschichten erzählen kann, läuft Gefahr, von seiner Frau auf dem Markt verkauft zu werden – dies ist eine der zahlreichen Lektionen, die der siebenjährige Rafik von seinem Großvater bei einem der gemeinsamen Basarbesuche lernt. Für ihn war dieses Erlebnis so prägend, dass er beschloss, »Frauen immer Geschichten zu erzählen, damit sie mich nicht verkaufen«. In elf Erzählungen, die zu seinen persönlichsten gehören, entführt Rafik Schami seine Leser in das Damaskus seiner Kindheit: zu den Geschichtenerzählern in den Kaffeehäusern, vor das Radiogerät, in dem Abend für Abend, tausendundeine Nacht lang, Scheherasad nicht nur den König in ihren Bann zieht, auf den Basar, zu den Friseuren und in die Hinterhöfe – überall hin, wo erzählt wird. Hier begann der Weg des Erzählers Rafik Schami, der ihn bislang neunmal um die Erde geführt hat.

Rafik Schami wurde 1946 in Damaskus geboren. 1971 kam er nach Deutschland, studierte Chemie und schloss das Studium 1979 mit der Promotion ab. Heute lebt er in Marnheim (Pfalz). Schami zählt zu den bedeutendsten Autoren deutscher Sprache. Sein Werk wurde vielfach ausgezeichnet und in 25 Sprachen übersetzt. Seit 2002 ist Rafik Schami Mitglied der Bayerischen Akademie der Schönen Künste. Im Sommersemester 2010 hatte er die Brüder-Grimm-Professur der Universität Kassel inne. Mehr über den Autor unter: www.rafik-schami.de.

Rafik Schami

Die Frau, die ihren Mann auf dem Flohmarkt verkaufte

Oder wie ich zum Erzähler wurde

Deutscher Taschenbuch Verlag

**Ausführliche Informationen über
unsere Autoren und Bücher
finden Sie auf unserer Website
www.dtv.de**

2012 Deutscher Taschenbuch Verlag GmbH & Co. KG,
München
Lizenzausgabe mit Genehmigung des Carl Hanser Verlag

Umschlagkonzept: Balk & Brumshagen
Umschlagbild: Root Leeb
Satz: Satz für Satz. Barbara Reischmann, Leutkirch
Druck und Bindung: Druckerei C.H. Beck, Nördlingen
Gedruckt auf säurefreiem, chlorfrei gebleichtem Papier
Printed in Germany · ISBN 978-3-423-14158-1

WIE ALLES BEGANN

»Wie viele Lesungen haben Sie denn bisher gehalten?«, fragte mich eines Abends nach einer Veranstaltung eine Journalistin. Ich war überrascht und hatte keine genaue Antwort parat. Aber meine Steuerberaterin, deren Dienste ich seit Jahrzehnten in Anspruch nehme, teilte mir auf meine Anfrage hin mit, dass ich in den vergangenen dreißig Jahren genau 2321 Lesungen absolviert habe und dazu 362 723 Kilometer gefahren war. Das heißt vereinfacht, aber poetisch formuliert: In all den Jahren bin ich neunmal erzählend um die Erde gefahren.

In der Ruhe, die sich nach einer langen Tournee einstellt, fand ich nun eine Oase, um mir ein paar Gedanken über meinen Weg zu machen.

Mit Sicherheit hat meine Entscheidung, Erzähler zu werden, mit meiner Kindheit zu tun. Aber was genau meinen wir mit Kindheit? Wenn man Leute danach fragt, erzählen sie von einem bestimmten Zeitabschnitt ihres Lebens und nicht selten von einem genau definierten Ort. Aber Kindheit ist mehr als Ort und Zeit. Sie ist ein Gefühl, eine Lebenseinstellung. Sie ist ein Spiel und eine Philosophie. Kindheit, das sind Träume, Geschehnisse und Geschichten, die uns prägten und prägen.

Wenn all das Kindheit heißt, und es ist bei Gott noch nicht alles, so hat mich meine Kindheit zum Erzähler gemacht. Und diese Kindheit muss so starken Einfluss gehabt haben, dass sie alle Vernunft besiegen und mich dazu bringen konnte, Damaskus, die schönste Stadt der Welt, zu verlassen, und nicht nur das. Sie ließ mich später fast kaltblütig eine wahnsinnige Entscheidung gegen meine Erziehung treffen: Ich gab einen sicheren, hochdotierten Beruf als Chemiker bei einem Weltkonzern auf und ergriff den unsicheren Beruf eines Erzählers in einer fremden Sprache. Heute, wiederum viele Jahre später, zittere ich, wenn ich daran denke, wie leichtsinnig die Entscheidung damals war. Aber heute weiß ich auch, dass ich niemals in meinem Berufsleben eine bessere Entscheidung getroffen habe.

Meine lange Reise als Erzähler führte mich, wie bereits gesagt, neunmal um die Erde. Sie begann aber mit einem kleinen Schritt an einem Frühlingstag im Jahre 1953. Ich war damals sieben Jahre alt und begleitete meinen Großvater durch die Altstadt. An jenem Tag erlebte ich etwas, das ich erst über fünfundfünfzig Jahre später als den Anfang meines Weges verstehen sollte.

DIE FRAU, DIE IHREN MANN AUF DEM FLOHMARKT VERKAUFTE

»Das, wobei unsere Berechnungen versagen, nennen wir Zufall.«

Albert Einstein

»Zufall ist vielleicht das Pseudonym Gottes, wenn er nicht unterschreiben will.«

Anatole France

Mein Großvater väterlicherseits war witzig, großzügig und immer für ein Abenteuer bereit.

Er lebte in Malula, einem christlichen Dorf in den Bergen. Wenn er uns in Damaskus besuchte, kam er oft alleine, da seine Frau, meine Großmutter, uns nicht mochte. Das beruhte auf Gegenseitigkeit. Wir waren die Brut ihrer verhassten Feindin, meiner Mutter, die mit ihren schönen Augen meinen Vater verführt hatte. Der Plan der Großmutter, ihren Sohn mit seiner reichen Cousine zu verheiraten, scheiterte an dieser hübschen, aber bettelarmen jungen Frau, die später meine Mutter werden sollte.

Das Allerschlimmste für meine Großmutter aber kommt erst noch: Es war die Zunge meiner Mutter, mit der sie zehn Frauen vom Kaliber meiner Großmutter an die Wand stellen konnte. Großmutter lästerte, meine Mutter habe ihre Zunge vom Teufel geliehen.

Für meinen Großvater war dieselbe Zunge ein Garten voller Lachen, voller Gerüchte und Anekdoten, wie er sich einmal ausdrückte. Er selbst war schüchtern, und sein

Leben lang bewunderte er die Schlagfertigkeit meiner Mutter.

Ich wunderte mich immer, wie er es mit seiner Frau aushielt. Einmal fragte ich ihn, warum er nicht zu uns ziehe. Da lachte er: »Deine Großmutter kann nicht einschlafen, wenn sie ihre Hände und Füße, die immer eiskalt sind, nicht bei mir deponiert hat. Und ich bin ein Ofen.«

Und als er abends seinen Rotwein genoss, sah er zu mir herüber und sagte nur: »Heizöl.« Keiner außer mir verstand ihn. Ich verschluckte mich vor Lachen, und mein Vater bekam ein rotes Gesicht, wie immer, wenn er mit seinem Vater schimpfen wollte und nicht durfte.

Wenn Großvater bei uns übernachtete, bestand er darauf, auf einer Matratze im Kinderzimmer zu schlafen. Er lehnte das herrliche Gästebett ab, das ihm mein Vater anbot. In jenen Nächten konnten wir, meine zwei Brüder und ich, kaum schlafen. Wir lachten über seine Geschichten, was nicht selten damit endete, dass unser Vater hereinkam und seinen Vater mahnte, endlich Ruhe zu geben und uns schlafen zu lassen. Er, der reiche und mächtige Großvater, mimte dann den Ängstlichen und versteckte sich unter seiner Decke, und wir konnten noch weniger einschlafen.

Eines Nachts tanzte er auf seiner Matratze und sang laut und unverständlich. Die Melodie hörte sich sehr fremdartig an. Es handelte sich, wie er behauptete, um Lieder und Gesänge der Dschinn, und seine Tanzpartnerin war keine Geringere als die Frau von Schamhuresch, dem Herrscher der Dämonen. Dieser konnte nicht billigen, dass sich seine Frau in einen »Irdischen«, wie er Großvater verächtlich nannte, verliebte. So ließ sich Großvater darauf ein, mit Schamhuresch zu kämpfen, nachdem dieser versprochen hatte, keine faulen Tricks anzuwenden. Dschinn haben nämlich die lästige Angewohnheit, sich in Sekundenschnelle in eine andere Form und Erscheinung zu verwandeln. Hat man sie am Hals gepackt, werden sie zu Skorpionen oder Krokodilen, legt man sie flach auf den Boden, werden sie zu einem See. Will man sie in den Hintern treten, werden sie zu Feuer und Glut. Das wussten wir aus früheren Erzählungen, und wir verfolgten die Schlägerei gespannt, bei der der Großvater sein Talent als Pantomime exzellent unter Beweis stellte. Man konnte beinahe die unsichtbare Faust des eifersüchtigen Dschinns sehen, wenn sie Großvaters Kinn traf. Der Kampf dauerte länger als zehn Minuten ... Und das alles auf der Matratze in unserem Kinderzimmer! Als plötzlich die Tür aufging, erstarrte mein Großvater zu einer Gipsfigur.

»Soll ich den Hörern im Hof Eis servieren oder ihnen ein Eintrittsgeld abverlangen?«, fragte mein Vater verärgert. Ich hob den Vorhang. Tatsächlich saßen unsere Nachbarinnen und Nachbarn im Innenhof. Sie genossen in jener Sommernacht die kühle Luft unter freiem Himmel und desgleichen die Abenteuergeschichte meines Großvaters – bis die Zensur für eine Unterbrechung sorgte.

»Eis wäre nicht schlecht«, erwiderte Großvater und sackte in sich zusammen, als wäre er ein Löffel Vanilleeis in einer heißen Pfanne. Mein Vater schüttelte nur den Kopf, schloss die Tür und kehrte in sein Zimmer zurück.

»Und?«, flüsterte mein ältester Bruder, nachdem er sich vergewissert hatte, dass mein Vater weit genug weg war. »Wer hat gesiegt?«

»Natürlich ich, aber das hat mich einen Zahn gekostet«, erklärte Großvater, und er zeigte uns die Lücke in seinem Unterkiefer. Ich werde nie vergessen, wie er geduldig den

Mund aufhielt, während wir drei mit der Taschenlampe seinen Unterkiefer erforschten.

So war er bis zum letzten Tag seines Lebens, von dem ich noch erzählen werde. Aber lange davor, an einem Tag in Frühjahr 1953, fragte er mich, ob ich mit ihm durch die Altstadt spazieren wolle.

Wir schlenderten durch die Gerade Straße. Mir schien an jenem Tag, dass alle Händler, Bettler, Polizisten, Lastenträger und Wirte meinen Großvater kannten und mochten. Sie grüßten ihn freundlich, und drei-, viermal luden ihn Männer zu einer Tasse Kaffee ein. Er lehnte höflich ab und wiederholte, er wolle mit mir, seinem Enkel, zum Flohmarkt gehen. Und das war keine Lüge gewesen, denn tatsächlich hörte ich an jenem Tag zum ersten Mal in meinem Leben vom »Suk Qumeile«, dem Flohmarkt. Ich war verwundert und dachte, mein Großvater wolle sich einen Scherz mit mir machen. Aber er schwor bei der heiligen Maria, dass eine ganze Straße den Namen Flohmarkt trage. Man könne dort interessante alte Dinge finden. Dann erzählte er mir, welche Raritäten er bisher schon erstanden hatte. Und auch von den Tricks der Händler, billige Ware als Antiquität zu tarnen und Anfängern für viel Geld anzudrehen.

Suk Qumeile lag in der Nähe der Zitadelle. Auf beiden Straßenseiten waren kleine, winzig kleine Läden dicht aneinandergereiht, und da es mehr Waren als Platz gab, standen auch die Bürgersteige voller Kleider, Spielzeug und Haushaltsgeräte. Es störte aber niemanden. Die Passanten gingen auf der Fahrbahn, und die wenigen Autofahrer, die vorbeikamen, hatten eine Engelsgeduld. Sie schlängelten sich im Schritttempo zwischen den Menschen hindurch und hupten nur, wenn man sie vergaß.

Ich durfte alles anfassen und fand bald einen bunten Musikkreisel, der zwar zwei Dellen hatte, aber wunderschöne Musik machte. Die Händlerin wollte – meinem Großvater zuliebe – keinen Gewinn machen und verlangte drei Lira. Mein Großvater behielt trotz der Schmeichelei einen kühlen Kopf und kaufte mir den Kreisel nach kurzem Feilschen für eine Lira. Für sich selbst erstand er bei einem anderen Händler eine Goldmünze und sagte leise zu mir, er habe diese seltene Münze seit Jahren gesucht.

Schließlich hielt er sich eine ganze Weile bei einem Händler auf, dessen Laden, abgesehen von Zetteln, die an der Wand klebten, leer war. Ich wunderte mich und fragte meinen Großvater, was der Mann verkaufe.

»Offiziell Häuser«, antwortete er. »Der Mann ist ein Makler. Aber inoffiziell verkauft er die besten Gerüchte, die man haben kann, weil er alle Häuser der Stadt und ihre Geheimnisse kennt.«

»Hallo«, rief ein Dattelverkäufer meinem Großvater zu, als wir weitergingen, »willst du zwei Kilo Kummer kostenlos haben oder ein Kilo irakische Datteln, bei denen du deinen Kummer vergisst?«

»Dann lieber die Datteln«, erwiderte mein Großvater, und ich bekam vom Verkäufer eine Tüte mit großen saftigen Datteln.

Plötzlich wurden mein Großvater und ich auf eine Menschentraube aufmerksam, die sich vor einem Laden gebildet hatte und bis zum Bürgersteig auf der anderen Straßenseite reichte. Mein Großvater, raffiniert wie er war, rief den Männern und Frauen, die uns im Wege standen, zu: »Macht Platz für das Waisenkind.« Nichts auf der Welt setzt einen schwergewichtigen Araber so schnell in Bewegung wie die Aufforderung, einem Waisenkind Durchgang zu gewähren.

Mein Großvater schob mich vor sich her und schlüpfte, geschmeidig wie ein Schatten, hinter mich, bevor sich die Öffnung wieder schloss, und so standen wir binnen kürzester Zeit in der ersten Reihe.

»Waisenkind?«, raunte ich, denn meine Eltern waren erst Anfang dreißig.

»In siebzig Jahren bestimmt«, entgegnete er und richtete den Blick nach vorne. Ich wollte noch fragen, woher er das wisse, aber das Geschehen vor mir faszinierte mich so sehr, dass ich meine Eltern schnell vergaß. Mit offenem Mund starrte ich auf den Mann, der auf einem alten Sessel vor dem Laden saß. Er hielt ein Stück weißer Pappe vor sich, auf dem mit großen Buchstaben stand: Zu verkaufen. Das konnte ich gerade schon entziffern.

Am Eingang des Ladens stand neben Haushaltsgeräten und einem Haufen alter Kleider eine ältere Frau in einem blauen Overall. Sie stritt gerade mit einem jungen Mann, der nicht einsehen wollte, warum sie ihren Mann zum Verkauf gab.

Ich will wirklich nicht lügen und behaupten, ich hätte mit sieben Jahren alles verstanden. Was ich aber verstand, war, dass die Frau den Mann verkaufen wollte, weil dieser alt war.

»Und obwohl dieser Mann keineswegs stumm ist, macht er den Mund nicht auf, tage-, monate-, jahrelang kann der Mann ohne Worte leben«, rief die Frau in diesem Augenblick bitter, was ich nie vergessen habe. Und was ich auch verstand, war, dass sich der Mann mit Pferden gut auskannte und dass die Frau drei behinderte erwachsene Söhne zu ernähren hatte. Die Aufregung war groß, aber die Frau hielt allem stand. Auch vor einem besonders dürren Mann, der die Polizei rufen wollte, fürchtete sie sich nicht.

Nach einer Weile ging ein älterer Herr in einem feinen europäischen Anzug zu der Frau hin und zählte ihr den verlangten Preis Schein für Schein auf die Hand. Wie viel das war, weiß ich heute nicht mehr. Aber ich erinnere mich, dass die Frau ihren Mann ein letztes Mal umarmte und weinte.

Schweigsam zogen wir weiter, mein Großvater und ich. Mir schien, als hätte der Vorfall auch ihn mitgenommen. Erst auf dem Weg zurück, etwa auf der Höhe vom Suk al Busurije, dem Gewürzmarkt, fragte ich ihn, warum die Frau ihren Mann verkauft hatte.

»Weil sie arm ist. Immerhin kann sie mit dem Geld in schlechten Zeiten wie diesen überleben, und der Mann hat jemanden gefunden, der ihn für seine Pferde braucht.« Er hielt kurz inne. »Die Pferde nehmen es ihm nicht übel, wenn er den ganzen Tag schweigt, aber die Frauen mögen das nicht.«

»Und wird Großmutter dich verkaufen?«

Er lächelte. »Nein, ich glaube nicht, denn ich erzähle ihr dauernd etwas Neues, und dann vergisst sie, dass sie mich loswerden wollte.«

An diesem Tag fasste ich den geheimen Vorsatz, Frauen immer Geschichten zu erzählen, damit sie mich nicht verkaufen. Und noch einen geheimen Plan heckte ich auf dem Nachhauseweg aus.

»Liebte die Frau den Mann?«, fragte ich Großvater.

»Natürlich, du hast gesehen, wie sie beide beim Abschied weinten. Der Käufer tröstete sie, dass ihr Mann sie besuchen dürfe, so oft er wolle.«

Nun war mein Plan perfekt.

Zu Hause angekommen, machte meine Mutter Augen, als ich ihr vorschlug, meinen schweigsamen ernsthaften

Vater auf dem Flohmarkt zu verkaufen und dafür den alten preiswerten Großvater und noch dazu ein Radio zu erstehen.

»Aber ich liebe deinen Vater«, sagte sie, wie ich erwartet hatte und wie alle Welt wusste.

»Macht nichts. Er kann dich so oft besuchen, wie er will«, beruhigte ich sie.

»Nein, nein«, sagte die Mutter, »den verkaufe ich nicht, und deinen Großvater bekommen wir gratis.«

Merkwürdigerweise kaufte mein Vater eine Woche später ein Radio für meine Mutter. Wahrscheinlich aus Dankbarkeit. Das waren damals sehr teure Geräte, die wie ein Möbelstück aussahen. Neben dem Arzt Michel waren wir die einzigen in der Gasse, die so ein Prachtstück besaßen. Und so kamen alle Nachbarn zu uns, um Kaffee zu trinken und Lieder, Nachrichten und Geschichten zu hören.

Manchmal jammerte mein Vater, dass das Radio mehr Kaffee verbrauche als Strom. Dann sah ich zu meiner Mutter und flüsterte nur: »Flohmarkt«, und sie lachte verschwörerisch.

MIT PAPIERSCHWALBEN NACH TIMBUKTU

Großvater spielte nicht nur Theater. Er spielte mit allem, was in seine Hände geriet. Am liebsten aber bastelte er Papierdrachen und faltete Papierschwalben. Er hatte Hände, die das Papier auch ohne Lineal und Schere messerscharf falten und zerreißen konnten.

Wann immer ich als Kind krank war, setzte er sich zu mir und faltete mir Schwalben, und wir schickten sie gemeinsam aus dem Fenster im ersten Stock auf Reisen. Seine Schwalben schwebten lange und elegant in der Luft. Sie zogen weite Schleifen, bevor sie sanft landeten. Nur selten stürzten sie direkt in den Innenhof. Und dort, wo sie landeten, waren exotische Orte, von denen ich zum ersten Mal hörte.

Die Küche der Nachbarin Samira taufte mein Großvater auf den Namen Timbuktu, die Treppe vom Erdgeschoss zu uns herauf hieß Helsinki. Die Terrasse meinem Fenster gegenüber Sibirien, unsere Küche daneben Madrid, der Korridor, der im Erdgeschoss Innenhof mit Haustür verband, war der Gotthardtunnel. Unser Bad nannte er Honolulu und das Schlafzimmer meiner Eltern Bombay.

Niemand störte sich an unseren Schwalben, denn wenn eines der Nachbarkinder eine davon fing, schenkte der Großvater sie ihm mit den Worten: »Sie wollte seit Stunden zu dir.« Und das zu meinem Ärger, denn manch einem Nachbarskind gönnte ich nicht einmal einen Papierschnipsel, geschweige denn eine herrliche Schwalbe. Aber Großvater war nicht gewillt, in solchen Fragen auf mich zu hören.

Wie gesagt, niemand hat sich über eine Schwalbe geärgert, die in Timbuktu, Helsinki oder Bombay landete, aber mit der Zeit ärgerte sich mein Vater über unsere Gespräche beim Essen. »Salim kommt gerade aus dem Gotthardtunnel und geht nach Timbuktu«, sagte Großvater, wenn der alte Witwer Salim vom Einkaufen zu Samira in die Küche kam. Er kaufte gerne für die alte Nachbarin ein, dafür kochte sie seit dem Tod seiner Frau für ihn. Man sah am roten Gesicht meines Vaters, dass der Ärger, den er mit seinem Essen schlucken musste, ziemlich groß war. Und als ich kurz darauf meine Schwester, die gerade etwas aus der Küche holen wollte, unklugerweise aufforderte: »Bring mir bitte Salz aus Madrid mit«, war es um die Geduld meines Vaters geschehen …

MURMELN MEINER KINDHEIT

»Der Mensch spielt nur,
wo er in voller Bedeutung des Wortes Mensch ist,
und er ist nur da ganz Mensch, wo er spielt.«
Friedrich Schiller

»Wer älter wird, der wird nicht aufhören zu spielen. Aber wer aufhört zu spielen, der wird älter.«
George Bernard Shaw

»Murmeln« bedeutet, leise und undeutlich vor sich hin zu sprechen, und zugleich steht das Wort für die kleinen aus Marmor, Stein, Ton, Glas oder anderen Materialien hergestellten Kugeln, mit denen Kinder weltweit spielen. Man nennt sie auch Schusser, Marmeln, Marbeln, Batzen, Dotzer, Klicker und Kuller – über hundert verschiedene Bezeichnungen lassen sich zusammentragen. Das Wort Murmel selbst stammt von Marmor, aus dem Murmeln früher häufig hergestellt wurden.

Die leise Stimme meiner Kindheit, die mir flüsternd vergangene Zeiten und verlorene Paradiese zurückbringt, verbindet sich unzertrennlich mit dem Murmelspiel. Merkwürdigerweise meldet sich die Erinnerung nicht in Farben und Bildern, obwohl die alte Stadt Damaskus an beidem reich ist, sondern als Klangteppich aus Stimmen, Geräuschen, Musik und der Stille der Morgendämmerung, die ich als Kurzschläfer seit meiner Jugend genieße.

Der Klang der Stadt Damaskus veränderte sich einerseits mit der Zeit und andererseits mit seiner räumlichen Ausdehnung – von Gasse zu Gasse, von Straßenecke zu Straßenecke, von Viertel zu Viertel. Als Jugendlicher besaß ich ein Fahrrad, mit dem ich alle Viertel der Altstadt auf eigene Faust erkundete. Ich war neugierig, wie die Gassen aussahen, wie sie sich anhörten, wie sie dufteten.

In manchen Gassen lagerten die Händler Zimt, Koriander, Sesam, Thymian und Süßholz. In anderen Gassen standen kleine Fabriken, in denen Pistazien geröstet, Sesam und Oliven gepresst und vor allem Süßigkeiten hergestellt wurden.

In unserer Gasse im Osten der Altstadt etwa, mitten im christlichen Viertel, waren mehr Kirchenglocken als Muezzinrufe zu hören. Sie duftete sommers wie winters stark nach Anis, weil es hier ein großes Anislager gab, von dem aus landes- und weltweit Handel betrieben wurde. Ein alter Mann mit O-Beinen verbrachte den ganzen Tag damit, Anis zu sieben und in große Säcke zu füllen. Er war seit seinem zehnten Lebensjahr beim Anishändler angestellt. Von Jahr zu Jahr wurde der Mann kleiner, und er sah grüngrau wie die Aniskörner aus, wenn er bei Sonnenuntergang nach Hause ging. Mit der Zeit sah er auch grüngrau aus, wenn er am Morgen kam. Und er wurde immer kleiner, bis er eines Tages verschwand. Mein Großvater erzählte mir, der Mann wurde so klein, dass er selbst durch das Sieb fiel, in einen Sack verpackt und ins Ausland verschickt wurde.

Es dauerte Jahre, bis ich mit Sicherheit sagen konnte, ich kenne jede Gasse und jeden Winkel der Stadt. Von dem Zeitpunkt an war ich in sie vernarrt, ohne es jedoch zu merken. Und hätte sich irgendein verrückter Professor dafür interessiert, ich hätte ihm eine kuriose Klang- und Duftkarte der Stadt gezeichnet.

Ich war natürlich nicht überall gerne gesehen. Das konnte ich auch nicht erwarten, denn in meiner Gasse sahen wir auch nicht jeden Fremden gerne. Aber ich kam – nicht selten mit Schrammen und Beulen – immer davon, weil eine feine Antenne in meinem Innern mir die Gefahr im Voraus anzeigte und ich rechtzeitig die Flucht ergreifen konnte. Gläubige Menschen wie meine Mutter sprachen eher von einem Schutzengel, und da ich unbelehrbar blieb, sagte sie eines Tages in ihrer unnachahmlichen Art: »Ich werde sonntags eine Kerze mehr für die heilige Maria anzünden, damit sie dich vor allem Übel und den armen Schutzengel vor einem Herzinfarkt schützt. Du wirst sehen, die heilige Maria macht das schon. Sie war eine tapfere Mutter.«

Der Klang veränderte sich im Lauf der Jahreszeiten, aber auch im Lauf eines Tages. Am frühen Morgen hörte ich bereits als Kind gerne das leise Meckern der Damaszener Ziegen, einer besonders ruhigen Rasse mit glatten rotbraunen Haaren, deren Milch nach wilden Kräutern schmeckte. Die Milchverkäufer zogen von Gasse zu Gasse, und wir standen mit unseren Schüsseln an den Türen und erwarteten sie schon.

Ein wenig später mischte sich der Lärm der spielenden Kinder mit dem Dröhnen des Verkehrs, den Rufen der Bettler, dem Lachen aus der Nachbarschaft, dem Gesang aus den Radios, die voll aufgedreht wurden, und dem Singsang der Straßenverkäufer, die die Hausfrauen aus der Tiefe ihrer Häuser lockten. Nicht selten übertrieben die Händler maßlos. Aus ihren Tomaten wurden Schönheiten und aus einfachen Feigen wurden Honigdepots, um deren Süße die Bienen sie beneideten. Einfaches Gemüse wurde zu einem melodischen Gedicht. Die Straßenverkäufer in Damaskus besingen ihre Produkte so, als wären Tomaten, Kartoffeln, Aprikosen oder Thymian nicht Gemüse, Obst oder Kräuter, sondern Juwelen, Gaben des Himmels. Manchmal singen sie mit geradezu religiöser Inbrunst und oft witzig. Wer soll nicht lächeln, wenn er hört, dass die Tomaten sich mit Rouge die Wangen schminken, bevor sie mit dem Verkäufer spazieren gehen. Wer wird nicht neugierig, wenn er hört, dass Estragon *Verräter* genannt wird?

Gegen Mittag ebbten die Stimmen ab, denn dann genossen die Damaszener ihre Siesta, und abends klang Damaskus bunt geschwätzig, aber sehr friedlich.

Einzelne Stimmen von Nachbarn waren zu hören, so die unverwechselbare Stimme des Kutschers Salim, der mir als Erster erzählt hatte, dass sich hinter jeder unscheinbaren Damaszener Tür 1001 Geschichten verbargen. »Wer all die Geschichten sammelt, wird unsterblich«, sagte der alte Mann. Eine dieser Geschichten geschah sieben Häuser weiter. Sie handelte vom Lautenspieler Samir. Abends hörte man ihn spielen, und wenn meine Eltern und die Nachbarn die melancholische Melodie der Laute vernahmen, verstummten sie für einen Augenblick und nickten begeistert. Doch ihr Mund besiegte ihre Ohren, und so erhoben sich ihre Stimmen wieder und verdeckten die Klänge der Laute.

Der Fliesenleger Samir war ein schweigsamer Mann von gut dreißig Jahren. Nach der harten Arbeit duschte er, rasierte sich, ölte sein Haar, wie es damals Mode war, und zog sein schneeweißes arabisches Gewand an. Dann stolzierte er wie ein glücklicher Bräutigam zur Haustür, warf einen Blick auf die Gasse, bevor er zu seiner Braut, der Laute, zurückkehrte, sie umarmte und ihr die schönsten Töne entlockte. Seine Frau machte sich nichts daraus. Sie war eine spröde Bauerntochter. Ich kannte sie nur schwanger, fünf, sieben oder neun Kinder hatten die beiden.

Welcher Teufel ritt ihn plötzlich, dass er sich von einem Emigranten den Kopf verdrehen ließ, Frau und Kinder zurückließ und ohne Abschied mit seiner Laute nach Brasilien durchbrannte? Man hörte nie wieder von ihm, aber die irrsinnigsten Gerüchte über sein Verschwinden machten die Runde.

Seine Frau wurde verrückt und erzählte von Papageien, die zu ihr kamen und ihr von der Sehnsucht ihres Mannes erzählten.

Stimmengewirr, ein Streit zwischen zwei Nachbarn und dazwischen ein alter Mann, der die Streithähne mit einer Geschichte zu besänftigen versucht. An jenem Tag scheiterte er, aber von einem kleinen ängstlichen Jungen wurde er dennoch vergöttert. Der Mann war der Kutscher Salim und der Junge war ich.

Auch entsetzte Schreie drängen sich in meine Erinnerungen. Eine Verhaftungswelle brachte Trauer und Wut unter die Dächer von Damaskus. Meine Familie, die bis zu jenen Jahren der Union mit Ägypten (1958–1961) derartige Gewalt noch nie erlebt hatte, ging durch die Hölle. Ich war dreizehn, als man meinen Vater vor meinen Augen verhaftete. Das Nasser-Regime verbreitete Terror, statt für das versprochene Paradies der vereinigten arabischen Nation zu sorgen. Es herrschte Angst, als der erste Spitzel in unsere Gasse einzog. Es war, um in der Sprache der Industrie zu sprechen, eine neue Generation von Spitzeln. Sie agierte nicht mehr geheim, wie es sonst üblich war, sondern ungeniert und offen. Die Spitzel trugen eine große Pistole unter ihrem Hemd, die für jedermann sichtbar war. Deshalb nannte ich sie nicht Spitzel, sondern »Angstmacher«, denn es war ihre oberste Aufgabe, die Menschen einzuschüchtern.

All diese Personen, lange Zeit in meinem Gedächtnis zu Hause, bevölkerten später meine Romane, aber ich vermute, sie fühlten sich in den bequem eingerichteten Räumen meines Erinnerungsparadieses wohler als mit Druckerschwärze auf Papier gepresst. Sie kehrten schnellstens zu mir zurück, hocken seither in meinem Kopf und melden sich bei jeder Gelegenheit zu Wort, nicht laut, sondern schüchtern murmelnd. Und Murmeln gehören auch zu dem Spiel, ohne dessen Zauber meine Kindheit ärmer gewesen wäre. Meine Erinnerung daran bleibt frisch: ein wunderbarer Zeitvertreib.

Spielen gehört zu den Urtätigkeiten des Menschen, aber es ist keine Erfindung des Menschen, wie die Sprache oder die Steuer. Auch Tiere spielen. Spielen ist kein Luxus. Das Bedürfnis nach Spiel meldet sich, sobald das Überleben für den Augenblick gesichert ist. Man spielt mit anderen und auch mit sich selbst. Man spielt mit seinen Fingern, mit Kieselsteinen, Stoffresten, Bällen, und wenn gar nichts da ist, spielt man mit der Sprache, und wenn auch sie nicht zugänglich ist, spielt man mit Gedanken.

Ich habe oft Kinder in Damaskus beobachtet, die in bitterer Armut lebten und die ihren Eltern helfen mussten, sie waren Bettler, Steineschlepper, Verkäufer in der sengenden Sonne, Handlanger bei Schlossern, Bäckern und Tischlern. Sobald aber die Aufsicht der Eltern nachließ, spielten die Kinder und vergaßen nicht nur ihr Elend, sondern auch alles um sich herum. Erst durch das Schimpfen ihrer Eltern oder eine Ohrfeige wurden sie in die Realität zurückgeholt.

Spielen ist eine zauberhafte Möglichkeit, einen Augenblick lang Kinder in Erwachsene und Erwachsene in Kinder zu verwandeln. Es ist ein verbreiteter Irrtum, dass Erwachsene beim Spielen mit Kindern die Geber und Kinder die Nehmer seien – eine Einbahn-Ideologie, die Generationen von Pädagogen vehement vertraten. Die Wahrheit des Spiels ist viel komplizierter. Es ist eine Straße, die in beide Richtungen führt, mit Ampeln, Kreuzungen und Sackgassen. Wer sich auf das Spiel mit Kindern einlässt und seinen pädagogischen Mantel an der Garderobe abgibt, wird später zu schätzen wissen, was ihm das helle Lachen eines Kindes gegeben hat. Sicher können Kinder eine Menge von Erwachsenen lernen, aber sie ermöglichen ihnen im Gegenzug, verloren geglaubte Bereiche ihres Lebens wiederzugewinnen, sich im besten Sinn zu wundern und über kleine Dinge Freude zu empfinden.

Ich werde den alten Mann nicht vergessen, der uns Kindern eine Weile höchst amüsiert beim Spielen zugeschaut hatte und dann zu seiner Frau sagte: »Das Spiel ist das beste Geschenk des verlorenen Paradieses.«

Beim Spiel entsteht ein unsichtbarer, aber von Kindern/Spielern wahrgenommener Planet, der mit der umgebenden Welt kaum oder gar nichts zu tun hat. Dort herrscht nicht das Chaos, wie sich manche Erwachsene einbilden, sondern es gibt Ge- und Verbote. Sie sind älter als alle Gesetze der Welt, und die Spieler gehorchen ihnen freiwillig, solange sie mitspielen. Außerhalb dieses Planeten wirken diese Gesetze oft komisch oder gar lächerlich.

Ein merkwürdiger Planet ist das Spiel. Weder Religion noch Hautfarbe, ethnische Zugehörigkeit oder politische Überzeugung spielen hier eine Rolle. Ein Tor, ein gelungener Schachzug, eine erfolgreiche Backgammonstrategie, ein geglückter Matchball im Tennis oder ein meisterhaft geführter Murmelschuss wird anerkannt, ohne all das zu berücksichtigen, was sonst diesen Menschen ausmacht. Er ist Spieler, und das genügt.

Auch die Zeit wird auf diesem Planeten anders wahrgenommen. Sie vergeht schneller als die Zeit außerhalb. Der Ruf »Ich komme gleich« hat eine besondere Bedeutung, wenn er von einem Menschen stammt, der in sein Spiel versunken ist.

Doch Spielen ist wie so vieles keine Konstante, sondern eine Variable, die sich durch die Jahrhunderte, abhängig von den Umständen, verändert hat und weiter verändert. Wird heute von Kinderspielen gesprochen, so denkt man an erster Stelle an Spielzeug, das in seiner Ausstattung sehr aufwendig ist. Je aufwendiger es aber ist, umso schlichter wird die Bedienung. Am Computer oder Spielautomaten ist das deutlich zu sehen. Die Tätigkeit beschränkt sich über Stunden hinweg auf die Bewegung einiger weniger Finger. Dabei werden Welten erobert, Reiche zerstört und lebensechte Killer und Monster besiegt, und das alles in perfekter Dreidimensionalität.

Ein simpler, mit Luft gefüllter Ball dagegen verlangt ganzen Körpereinsatz. Und noch kleinere stumpfe Kugeln aus einfachen Materialien haben mir alles abverlangt, was meine Augen und Hände, Atemtechnik und Körperhaltung an Präzision, Schubkraft, Ziel- und Treffsicherheit aufbieten konnten.

Bereits die babylonischen, chinesischen und germanischen Kinder spielten mit Murmeln. In China fand man Murmeln aus dem dritten Jahrtausend v. Chr., und in Ägypten lagen sie als Beigabe im Grab eines Kindes. Auf Kreta spielten die Kinder mit Murmeln bereits im zweiten Jahrtausend v. Chr.

Auch im alten Rom liebten die Kinder das Murmelspiel. Es wird sogar erzählt, der römische Kaiser Augustus habe immer Murmeln bei sich gehabt. Wenn er Kinder mit Murmeln spielen gesehen habe, habe er sich zu ihnen gesellt, seine Murmeln herausgeholt und zum Entsetzen seiner Berater und Begleiter mit den Kindern gespielt. Auch im Mittelalter fanden Murmeln in allen europäischen Ländern ihre Liebhaber. Auf dem großartigen Gemälde »Kinderspiele« malte der flämische Maler Pieter Brueghel der Ältere achtzig verschiedene Spiele, darunter auch das Murmelspiel.

Zur Herstellung der kleinen Kugeln wurden die unterschiedlichsten Materialien verwendet: Marmor, Tonerde, Holz, Achat und in der Moderne immer mehr auch Glas. Bereits 1848 produzierte man in Lauscha (Thüringen) Murmeln aus buntem Glas, handgefertigt. Hauptabnehmer waren die USA. Dort waren die Murmeln so beliebt, dass die Amerikaner sie je nach Beschaffenheit, Farbe und Material klassifizierten und katalogisierten (Solide Core Swirls, Divided Core Swirls, Ribbon Core, Banded Swirls, Joseph's Coat Swirls, Peppermint Swirls etc.).

Deutschland war bis zum Ersten Weltkrieg führend in der Produktion von Murmeln. Als der Krieg ausbrach, beeilten sich die Amerikaner, ihren eigenen Markt zu beliefern, und erfanden die notwendigen Maschinen, um die Produktion voll zu automatisieren. Damit übernahmen sie die führende Position, bis die Japaner sie in den fünfziger Jahren von dem Platz verdrängten. Heute steht Mexiko bei der Murmelproduktion an erster Stelle.

Die Murmeln werden heute aus diversen, manchmal

sehr edlen Materialien hergestellt, aber Glas bildet das Ausgangsmaterial für die meisten Murmeln überall auf der Erde.

In Deutschland konnte man in den siebziger und achtziger Jahren des vergangenen Jahrhunderts meinen, Murmeln seien ausgestorben. Aber seit Anfang der neunziger Jahre feiern sie ein Comeback, nicht nur als dekoratives Element in Haus und Garten, sondern auch als Spiel. Es gibt inzwischen viele Klickervereine, und seit 1996 werden sogar Meisterschaften im Murmelspiel ausgetragen. Die erste Meisterschaft fand im Oktober 1996 in Erfurt statt. Aber auch international erlebt das Murmelspiel eine Renaissance. Jährlich am Karfreitag treffen sich die besten Murmelspieler der Welt im kleinen englischen Ort Tinsley Green nahe London, um die Weltmeisterschaft auszutragen.

Bei keinem anderen Spiel kehre ich so unvermittelt in meine Kindheit zurück wie beim Murmelspiel. Immer wieder zieht es mich an, wenn ich Kinder mit Murmeln spielen sehe. Augenblicklich taucht meine Gasse auf, und in dieser Gasse hocke ich vor einer Menge Murmeln und spiele leidenschaftlich. Ich sehe mich auf dem Boden knien und mit meiner letzten Murmel auf eine andere zielen. Ich spüre heute noch, wie mein Herz damals raste. Unter den zuschauenden Kindern herrschte explosive Ruhe. Ich hatte einen schlechten Tag, aber die Hoffnung verzauberte schließlich doch meine Hand, und ich traf die Murmel aus fast drei Meter Entfernung und gewann über zehn weitere hinzu. Der Tag war gerettet.

Tage kommen mir in Erinnerung, an denen ich mit von Murmeln prall gefüllten Hosentaschen nach Hause ging, die Taschen in eine kupferne Schale entleerte und jede einzelne Murmel in die Hand nahm und gegen das Licht hielt, um ihre besondere Schönheit zu genießen. Es gab damals keine einzige Murmel, die der anderen glich. Auch heute gibt es Murmeln, die wahre Kunstwerke sind.

Doch lange kann ich nicht im warmen Gefieder der Siege verweilen, denn dann melden sich die Niederlagen an der Tür meiner Erinnerungen. Es waren Tage, an denen ich mit schmerzendem Handrücken und leeren Taschen nach Hause kam. Aber die Nacht heilte die Wunden, und am nächsten Tag zogen mich die Murmeln wieder in ihren Bann.

Damals gehörte die Straße mit all ihren Geheimnissen und Abenteuerecken uns Kindern. Sie war wie eine verschlossene Muschel, die dem Kenner eine Perle freigibt. Schatzkammern, Verstecke und geheime Treffpunkte bot meine Gasse. Das Haus neben der Pauluskirche war der Treffpunkt unserer Kinderbande. Es gehörte Samir, der im tropischen Wald verschwunden war. Die Erben stritten um das Haus und es verfiel allmählich. Der Innenhof dieses Hauses war ein Dschungel und deshalb die beliebteste Schatzkammer der Kinder. Hier versteckte ich alle Spielgewinne, die ich nicht mit nach Hause nehmen durfte, da diese Schätze, ob Dattel-, Oliven- oder Aprikosenkerne, Kronkorken, Muscheln oder Tierknochen, für meine Eltern nur Dreck bedeuteten. Wir sprachen dieselbe Sprache, doch wir gehörten zwei verschiedenen Völkern an. Meine Schätze, die mir ungeheures Ansehen verschafften und Freude bereiteten, erzeugten bei meinen Eltern nur ein verzerrtes Gesicht und den Satz: »In die Mülltonne damit!«

Heute hat die Straße keine Geheimnisse mehr, die Erwachsenen haben sie beschlagnahmt, begradigt und verbreitert und ihren Zauber zerstört. Bleich und formlos wie eine verwitterte Muschelschale liegt sie nun da, offen und leer.

Vielleicht waren wir als Kinder nie so satt, so gehätschelt und vor jedem Schaden sicher und versichert wie die Kinder heutzutage, doch wir hatten die Straße. Wir dehnten die Kindheit aus, solange es ging, heute aber ist die Welt voller Pläne, wie man Kinder am schnellsten zu Erwachsenen macht. Kindheit ist nicht mehr ein Abschnitt im Leben eines Menschen. Kindheit ist vielmehr ein Lebewesen, das wie so viele liebenswerte Lebewesen nach und nach ausgerottet wird. Die Kinder der Welt gehören nicht ihren eigenen Völkern, sie sind vielmehr ein über den Erdball verstreutes Volk, das nun, besiegt durch das Volk der Erwachsenen, zu den Bedingungen der Überlegenen lebt.

Neben Aramäisch und Arabisch lernte ich in der Schule Französisch und Englisch. Auf der Straße aber brachte mir mein Freund Nader eine geheime Sprache bei, die wir bald so meisterlich sprachen, dass keiner uns verstand. Was für ein Glücksgefühl! Immer wenn die anwesenden Erwachsenen alle Sprachen beherrschten, konnten wir uns verständigen, und sie schauten uns verwirrt und hilflos an. Es war eine einfache Sprache, aber schnell gesprochen war sie nicht zu knacken. Der Satz »Der Kerl ist lästig« etwa wurde durch ein einfaches Verfahren verschlüsselt. Bei jedem Wort ersetzte ein B (oder ein anderer Buchstabe) den ersten Buchstaben. Unser Satz lautete nun: Ber berl bst bästig. Um anzuzeigen, welcher Buchstabe ursprünglich dagestanden hatte, fügte man hinter jedes Wort ein Tarnungswort, dessen Anfangsbuchstabe mit dem ersetzten übereinstimmte. So lautet der Satz nun: Ber Damaskus berl Kuskus bst Immergrün bästig Lulu. Selten konnte ein Erwachsener verstehen, was wir uns so schnell erzählten.

In solchen Augenblicken fühlte ich mich wie ein Astronaut von einem anderen Planeten. Manchmal war ich auch Räuber oder König, Dichter oder Feuerwehrmann, Seemann oder Wüstenreiter, verliebter Held oder enttäuschter Verlierer. Nur meine Eltern nannten mich »kleiner Junge« (arabisch: Walad), sie wussten nichts von all meinen Phantasien, die für mich wirklicher als ihre Realität waren. Es gab alles auf der Straße: Trauer, Freude, Schmerz, Krieg, Frieden, Freundschaft, Feindschaft und vieles mehr. Nur eins gab es nicht: Langeweile, die Quelle des Unfugs.

Es gab Gewinner-Verlierer-Spiele. Es gab Wettspiele, wo die Zuschauer mit einbezogen wurden, aber es gab auch Schau-Spiele, bei denen Nachahmung von Filmszenen, Zirkusartistik, Zauber, Taschentricks, Zahlenmagie gefragt waren. Der einzige Zweck dieser Spiele lag darin, mit den eigenen Körper-, Finger- oder Hirnfähigkeiten das Publikum zu faszinieren. Als selten erreichter Hauptpreis konnte das Herz eines Mädchens gewonnen werden.

Aber es lauerten auch große Gefahren überall. Die Straße hatte ihre strengen sozialen Regeln, sie war meine Erzieherin, erst an zweiter Stelle kamen meine Eltern. Dort auf der Straße unter jüngeren und älteren Kindern lernte ich die Bedeutung von Verantwortung, die Grenzen der Freiheit und die Grundregeln des Umgangs miteinander und übte mich in vielen geistigen und sozialen Künsten: Diskutieren, Schlichten, Singen, Rezitieren von Versen und, wenn es darauf ankam, das Erfinden derselben, Erraten von Zahlen, Namen und Orten, Karten-, Schach- und Backgammonspielen, Zaubern, Erzählen und vor allem Zuhören. Hier auf der Gasse wurde ich – als mündlicher Erzähler – geschult. Mitten in Lärm und Unruhe zehn Teufelskinder für eine Geschichte zu interessieren und sie dann auch noch zu Ende zu erzählen, ist eine Herausforderung. Die deutschen Zuhörer sind höfliche Engel im Vergleich dazu. Jeder meiner Zuhörer auf der Gasse behauptete, er kenne eine bessere Geschichte. Es dauerte Jahre und Hiobs Geduld, bis ich mich durchsetzte.

Aber nicht nur unser Geist war auf der Gasse, um behutsam die Geheimnisse und Fertigkeiten der Welt zu lernen, sondern auch und vor allem unser Körper: Kämpfen, Ballspielen, Klettern, Purzelbäume schlagen, Murmeln präzise platzieren, Bogenschießen, Drachen steigen lassen, Reifenrennen, Verstecken, Fangen, Tanzen und Umarmen. Unser Körper lernte sich auszudrücken, erfuhr Freude und Schmerz.

Als ich vor fünfzig Jahren auf der Gasse spielte, gab es zu jeder Jahreszeit ein besonderes Spiel, das – ganz streng – nur in dieser Zeit gespielt wurde. Wer bestimmen durfte, wann die Zeit für den Wechsel gekommen war, blieb ein Geheimnis der Kindheit.

Einzig Murmelspiele waren, da sie relativ wetterunabhängig sind, als Brücke zwischen den Jahreszeiten zugelassen. Das führte dazu, dass die Regeln der Murmelspiele immer präziser formuliert wurden. Es gab Schiedsrichter für Grenzfälle und Experten für die Wertigkeit der Murmeln. Ich erinnere mich noch, dass die billigsten Murmeln aus Glas kein Innenleben hatten. War das Innere einer Murmel kunstvoll mit Farbe gestaltet und sauber ausgeführt, hatte die Murmel den zwei- bis dreifachen Wert einer »normalen«. Eingeschlossene Luftbläschen zählten, obwohl schön, als Schwäche, die einen Punktabzug auf der Werteskala bedeuteten. Große waren teurer als kleine, Porzellan- und Marmormurmeln teurer als solche aus Glas. Einmal gab ich für eine walnussgroße Murmel aus feinem Porzellan zwanzig Glasmurmeln her. Sie war mein Glücksbringer. Ich habe sie später mit ins Exil genommen, aber irgendwann ist sie mir verloren gegangen.

Ich habe sie jahrelang vermisst, bis sie plötzlich aus einem meiner Koffer herausrollte. Ich werde den Augenblick nie vergessen. Ich nahm sie in die Hand, streichelte und küsste sie, und dann steckte ich sie in meine Tasche, weil sie auf dem Dachboden eisige Kälte hatte ertragen müssen. Als ich sie nach einer Stunde wieder in die Hand nahm, schien sie sich auch zu freuen. Sie glitzerte, als würde sie gerade ein Feuerwerk widerspiegeln. Unglaublich! Der Himmel über meinem Kopf war dunkel und in meiner Hand blitzte die große Murmel.

Es dauerte nur ein paar Sekunden, aber Murmeln können das.

WARUM GROSSVATER NICHT SCHLAFEN KONNTE

In Damaskus erlebte ich Zuhörer, die sich so in die erzählten Geschichten hineinversetzten, dass sie Partei für die verfeindeten Helden ergriffen. Manchmal spaltete sich das Publikum in zwei Lager, die sich wegen einer fiktiven Schlacht, einer Hochzeit, wegen Lob oder Tadel im Saal heftig stritten.

Und einmal sah ich im Vorbeigehen drei Männer den großen Saal des Cafés mit Girlanden, frischen Blumen und bunten Luftballons schmücken. Einen von ihnen kannte ich. Er war ein Freund meines Vaters. Als ich ihn nach dem Anlass fragte, erwiderte er gutgelaunt: »Wir feiern heute Abend Hochzeit.« Ich wollte schon weitergehen, denn eine Hochzeit war das Selbstverständlichste auf der Welt. Dann jedoch erstarrte ich, denn der Mann fügte seelenruhig hinzu: »Heute Abend heiratet der Held der Geschichte seine Geliebte, für die er seit dreißig Nächten gekämpft hat. Der Erzähler hat es angekündigt. Sag deinem Vater, er soll etwas früher kommen, sonst findet er keinen Platz.«

Mein Großvater war damals bei uns zu Besuch. Als ich ihm von der Hochzeit erzählte und mich über die Leute lustig machte, bremste er mich in meiner dümmlichen Ironie. »Du kennst die Geschichte doch gar nicht. Du hörst dich an wie einer, der behauptet, er verstehe nicht, warum den Damaszenern das Wasser im Mund zusammenläuft, wenn sie Tabbuleh und Kebbeh hören.«

»Das ist doch klar, Tabbuleh und Kebbeh schmecken

himmlisch«, erwiderte ich, nicht ahnend, dass ich in die Falle gegangen war.

»Eben, das sagst du, weil du davon Ahnung hast. Aber das Gleiche sagen diejenigen, die Geschichten genießen. Wenn du mit einem Helden gelitten hast, kannst du dich über die Erfüllung seiner Liebe so freuen, als wäre es deine Liebe. Ich kenne die Geschichte. Sie ist sehr bewegend, und der Erzähler Abu Omar hat eine göttliche Stimme. Es gibt bestimmt eine kleine Feier heute Abend.«

Am Abend zogen sich er und mein Vater feierlich an und gingen ins Kaffeehaus. Als sie später zurückkamen, erzählten sie begeistert von der Hochzeit und von den Bonbons, die nur so auf die Zuhörer herabgeregnet waren, und von den leckeren Keksen, die der Wirt und seine Gehilfen den Zuhörern gratis serviert hatten, aus reiner Freude über die Hochzeit.

Am nächsten Tag kamen wir, mein Großvater und ich, bei einem Spaziergang wieder auf die Erzählkunst zu sprechen. Man müsse so erzählen, sagte er, dass der Zuhörer meint, mit einem Fuß in ihrer Welt zu stehen. Er verriet mir, warum er einmal nachts nicht hatte schlafen können. »Ich lebte damals in Damaskus und trieb Handel mit Getreide und allerlei Körnern und Samen. Jeden Abend ging ich ins nahe gelegene Kaffeehaus. Dort erzählte der Hakawati eine Abenteuergeschichte, die mich faszinierte und die Mühe des Tages vergessen ließ. Eines Nachts unterbrach der Erzähler die Geschichte dort, wo der Held am Balkon seiner Geliebten im dritten Stock hing. Gemeinerweise hatte der Hakawati zum Abschied sogar noch hervorgehoben: ›Übrigens, ich habe vergessen zu sagen, dass es in jener Nacht stürmisch und regnerisch war.‹

Ich konnte nicht schlafen. Klettert der Arme hinauf oder

rutscht er am nassen Geländer ab und stürzt in den Tod? Und wenn er stirbt, was passiert dann mit seiner Angebeteten? Mein Bett verwandelte sich in ein Nagelbrett, und ich wälzte mich bis Mitternacht hin und her. Es blieb mir am Ende nichts anderes übrig, als das Haus des Hakawati aufzusuchen, bei ihm anzuklopfen und untertänig zu gestehen, ich könne nicht schlafen. Er solle den Helden hinaufklettern oder herunterfallen, aber nicht in der Schwebe lassen.

Der Hakawati, wahrscheinlich an solche unruhigen Seelen gewöhnt, verlangte eiskalt einen Extralohn für die Beruhigung. Ich zahlte, und der Hakawati sagte leise: ›Keine Sorge, er klettert nach oben und öffnet die Tür des Schlafgemachs seiner Angebeteten. In dem Augenblick kommt die Mutter, um nach ihrer Tochter zu schauen, aber unser Held versteckt sich. Nun geh, und morgen erzähle ich im Café, wie die Geschichte weitergeht.‹«

SCHEHERASAD, MEINE MUTTER UND ICH

»Kindern erzählt man Geschichten zum Einschlafen – Erwachsenen, damit sie aufwachen.«
Jorge Bucay,
argentinischer Autor und Psychiater

Ich war zehn Jahre alt, als man im Juni 1956 im Rundfunk ankündigte, tausendundeine Nacht lang würden allabendlich die Geschichten der Scheherasad gesendet. Wochenlang sprachen meine Mutter und die Nachbarinnen darüber. Mir war ihre Aufregung nicht ganz klar. Der Name Scheherasad sagte mir nicht viel. Auf Arabisch hat er keine Bedeutung. Wie viele andere Kinder kannte auch ich die eine oder andere Geschichte aus »Tausendundeiner Nacht«. Es waren vor allem die Geschichte von Ali Baba und den vierzig Räubern sowie die Abenteuer des Seefahrers Sindbad, die bei uns damals große Beliebtheit genossen.

Ich weiß es noch wie heute. Es war ein Montag. Ich rannte von der Schule kommend wie immer zuerst in die Küche, um zu sehen, was meine Mutter gekocht hatte. Ich weiß zwar nicht mehr, was sie uns an jenem Tag zu Mittag gezaubert hat, aber ich erinnere mich daran, dass sie mich fragte: »Glaubst du wirklich, der Rundfunk wird die Geschichte der Scheherasad tausendundeine Nacht lang erzählen?« Ich verstand damals ihre Sorge nicht. Naiv antwortete ich: »Natürlich, sicher werden sie das tun.«

Wie viele Erwachsene misstraute meine Mutter den

Worten des Rundfunks. Viel zu oft hatte die Regierung im Radio Versprechen gemacht über rosige Zeiten, in denen Freiheit, Gerechtigkeit und andere edle Zustände herrschen würden, und ihre Versprechen dann nicht gehalten. Mit den Jahren verlor das Radio an Glaubwürdigkeit.

Die Frage schien meine Mutter beim Mittagessen immer noch zu beschäftigen. »Wird der Rundfunk diesmal sein Wort halten?«, fragte sie. Mein Vater dagegen schien sich keine Sorgen zu machen. Er konnte vielmehr seine Enttäuschung kaum verbergen. »Typisch«, stöhnte er, »die guten Sendungen kommen immer dann, wenn die Bäcker schon längst schlafen, aber gutes Brot wollen die Herren vom Rundfunk haben.«

Mein Vater konnte nie länger als bis zehn Uhr aufbleiben, denn er musste als Bäcker Tag für Tag um vier Uhr aufstehen, einerlei ob es Winter oder Sommer war. Scheherasad aber sollte erst um elf Uhr nachts sprechen. Auch ich habe mich darüber aufgeregt, warum so spannende Sendungen erst so spät gesendet werden, wo doch alle Kinder schon schlafen. Gegen neun Uhr musste ich ins Bett, aber ich konnte nicht schlafen. Meine beiden Brüder waren bereits um sieben eingeschlafen. Sie hatten am späten Nachmittag Fußball gespielt und waren völlig erschöpft. Auch die Nachteule Leila fragte leise, warum ich nicht schliefe. »Ich will die Geschichte hören«, antwortete ich. Bald schnarchte auch sie.

Ich konnte im Kinderzimmer hören, wie meine Mutter das Radio einschaltete. Als die Scheherasad-Musik von Rimski-Korsakow begann, schlich ich aus dem Bett, eilte barfuß zum Schlafzimmer meiner Eltern, öffnete die Tür einen Spalt und bettelte mit mitleiderregendem Blick und ohne ein Wort zu sagen um Einlass. Meine Mutter legte den

Zeigefinger auf die Lippen und winkte mich herbei, gerade als die Musik zu Ende war. Mein Vater schlief mit ausgebreiteten Armen wie Jesus auf dem Kreuz über dem großen Bett.

Ein Sprecher verlas eine pathetische Einleitung über den Rundfunk, der keine Kosten gescheut habe, um für seine verehrten Zuhörer diesen Schatz an Erzählungen aufzubereiten. Nach der Einleitung spielte eine kurze Weile Musik und dann erzählte ein anderer Sprecher die Vorgeschichte der Scheherasad. Natürlich gab der Sprecher nicht alle Details wieder. Heute weiß ich auch, warum. Diese Passage ist nämlich wie alle anderen deftigen erotischen Stellen zensiert worden. Sogar den Übersetzer der deutschen Ausgabe Enno Littmann hatte sie verstört. Er fand sie obszön und übertrug sie zum »Schutze der Jugend« mit Unterstützung eines befreundeten Latinisten ins Lateinische. Die Passagen wirken im Text komisch, aber mit Sicherheit haben sie die Motivation, Latein zu lernen, bei vielen Schülern verstärkt.

Der Sprecher sagte bloß, dass König Schahrayar von seiner Frau betrogen wurde und daraufhin ein grausames Blutbad veranstaltete. Er ließ seine Frau und alle Sklavinnen und Sklaven seines Palastes umbringen. Von da an ließ er sich jede Nacht eine Jungfrau bringen, nahm sie und ließ sie vor Sonnenaufgang töten. So wollte er in seinem Wahn sicherstellen, dass eine Frau, die er angefasst hatte, ihn nicht betrügen konnte. Im Land herrschten Angst und Sorge. Viele Eltern flüchteten mit ihren Töchtern, um sie vor der blutigen Hand des Königs zu retten. Schahrayar aber war wie getrieben. Eines Tages sagte Scheherasad zu ihrem Vater, einem Wesir des Königs: »Vater, ich will mich diesem König stellen, entweder ich sterbe, oder ich werde dazu beitragen, dass die Frauen meines Landes aus seinen Händen befreit werden.«

Der Wesir hatte zwei Töchter; Scheherasad war zwanzig Jahre alt und Dinasad etwa sechzehn. Seine Ältere hatte, wie berichtet wird, viele Bücher über frühere Könige und vergangene Völker gelesen; ja, es heißt sogar, dass ihre eigene Bibliothek mehr als tausend Bücher umfasste.

Scheherasad, im Radio von einer Frau mit warmer Stimme gesprochen, erzählte die Geschichte des unglücklichen Kaufmanns, der auf Reisen war und bei einer Rast Brot und Datteln aß, und als er die Datteln aufgegessen hatte, warf er die Steine fort. Ohne es zu wissen, hatte er den unsichtbaren Sohn eines Dämons tödlich getroffen, und dieser wollte ihn dafür töten. Die Geschichte nahm kein Ende, und als sie den spannendsten Punkt erreichte, unterbrach sich Scheherasad und fing an zu gähnen.

»Nun, wie geht die Geschichte weiter?«, fragte König Schahrayar nach einer kurzen Weile. »Lass mich, o mächtiger König, noch einen Tag leben, dann erzähle ich dir die Geschichte zu Ende und du kannst mich dann umbringen«, erwiderte Scheherasad. Da sprach der König: »Bei Allah, ich will dich nicht töten, bis ich den Schluss deiner Geschichte gehört habe.«

An dieser Stelle endete die Sendung mit der gleichen Musik, mit der sie auch begonnen hatte. Es war kurz vor zwölf. Ich eilte ins Bett, doch ich konnte lange nicht einschlafen. Ich überlegte, was Scheherasad erzählen müsste, um am Leben zu bleiben. Wirre Gedanken verhinderten meinen Schlaf und ich flüsterte immer wieder: »Erzähl, Scheherasad, erzähl! Bloß nicht aufhören.«

In meiner kindlichen Vorstellung wälzte sich Scheherasad in jener Nacht voller Kummer auf ihrem Bett hin und her. Sie stand ja vor dem Tode, und mich beschäftigte damals die Frage des Todes sehr. Am nächsten Morgen kam ich nur schwer aus dem Bett. Meine Brüder lachten über meinen Kummer und so stritten wir schon beim Frühstück. Sie zogen mich auf. »Schahrayar wird sie heute Nacht abmurksen«, krächzte mein ältester Bruder und handelte sich einen Tadel von meiner Mutter ein, die seine Bemerkung auch nicht gerade lustig fand. In der Schule waren viele Schüler genauso verschlafen wie ich. Auch sie hatten Scheherasad heimlich oder erlaubtermaßen bis spät in der Nacht zugehört. Aber in der Schule gab es genug Stunden, in denen wir uns ausruhen konnten. Schwer fiel mir jedoch der Unterricht am Nachmittag. Ich kämpfte gegen meine Müdigkeit an und beim Abendessen war ich ungenießbar. Wegen jeder Kleinigkeit stritt ich mit meinen Geschwistern und heulte mit und ohne Grund. Meine Mutter wusste genau, was los war, und empfahl mir, ins Bett zu gehen. Aber ich wollte die Fortsetzung der Geschichte hören! Nach langem Kampf schlossen meine Mutter und ich ein Abkommen: Ich gehe sofort ins Bett, und dafür weckt sie mich Punkt elf Uhr. Ich konnte mich immer auf meine Mutter verlassen. Sie nahm uns Kinder im Gegensatz zu vielen anderen Müttern ernst und regelte alles mit uns, ohne dass mein Vater etwas davon erfuhr. Wenn wir sie manchmal fast zum Wahnsinn trieben, dann schrie sie, schlug und weinte, aber nie machte sie uns vor ihm schlecht, nie! Sie hielt zuverlässig zu meinem Vater, egal ob er sich mit den Nachbarn, mit seinen oder gar mit ihren Eltern stritt. Nur wenn es um uns Kinder ging, entschied sie sich für uns und gegen ihren Mann.

Ich ging also beruhigt ins Bett und schlief sofort ein. Plötzlich spürte ich ihre Hand. Sie flüsterte mir zu, dass Scheherasad bald anfange, und ich schlich mich leise ins andere Zimmer. Wir hockten auf dem Teppich vor diesem

Prachtstück von Radio, es war ein beachtlicher Kasten mit einem grünen »magischen Auge«, und hörten die zweite Nacht zusammen. Wir erlebten den Zauber der Scheherasad, die die Geschichte erneut gerade dann unterbrach, als sie am spannendsten wurde, und den König und uns darauf vertröstete, die Geschichte in der nächsten Nacht fortzusetzen. Kurz vor zwölf fielen mir die Augen zu, und ich schlief tief und fest, denn nun hatte ich Vertrauen zu Scheherasad geschöpft. Sie würde noch viel erzählen.

Und jetzt lernte ich den Genuss kennen, selbst die Geschichten fortzusetzen. Ich hatte keine Sorge um die Meisterin aller Erzähler, aber ich überlegte mir, wie die Geschichte weitergehen würde. Zwei, drei Varianten waren möglich. Oft lag ich daneben, denn Kinder retten gerne die Welt und wollen alles zum Guten wenden, und das stellt erzählerisch betrachtet nicht gerade die beste Lösung dar.

Diese Nächte waren meine beste Schule und Scheherasad meine erste Lehrerin in der Erzählkunst. Später kamen Cervantes und die anonymen Autoren der Bibel dazu.

Nacht für Nacht hörten wir die Geschichten. Nur dienstags ging meine Mutter früh ins Bett, denn am Mittwoch hatte sie Waschtag und musste um vier Uhr morgens aufstehen. Die kinderreichen Familien in unserem Haus wechselten sich mit der Wäsche ab, sodass die einzige Terrasse des Hauses jeden Tag genug Platz für die Wäsche einer Familie bot. Mittwochs erkundigte ich mich also bei Nabil, meinem Sitznachbar in der Klasse, wie es mit der Geschichte am Abend zuvor weitergegangen war. Weil seine Mutter einen anderen Waschtag hatte, konnte er mir die Fortsetzung erzählen und ich wiederum erzählte sie, natürlich ausgeschmückt, meiner Mutter weiter, sodass wir mittwochabends im Bilde waren. Im Gegenzug erzählte ich Nabil auch die Fortsetzung der Geschichten, wenn er eine Folge verpasst hatte.

Tausendundeine Nacht lang hörten wir, meine Mutter und ich, die Geschichten der Scheherasad. Nacht für Nacht hallte ihre Stimme in unserer Gasse aus Hunderten von Radios. Vor allem im Sommer, wenn die Fenster offen standen, konnte man, wenn man durch die Gasse ging, nur eine Stimme hören, die Stimme der Scheherasad. Und wenn eine lustige Episode vorkam, so huschte ein Lachen durch die dunkle Gasse von Fenster zu Fenster, und danach hörte man die eine oder andere Mutter ihre Kinder ermahnen, sie mögen doch leiser lachen, damit der Vater nicht aufgeweckt werde. Über zwei Jahre, acht Monate und siebenundzwanzig Nächte hörten wir Scheherasad zu, dann aber kam der Tag, an dem die Geschichte zur späten Stunde ein für alle Mal zu Ende gehen sollte.

Meine Mutter war schon am Mittag sichtlich schlecht gelaunt. »Warum hört sie plötzlich auf?«, fragte sie, und niemand von uns Kindern konnte ihr eine befriedigende Antwort geben. Aber auch mein Vater konnte nichts anderes sagen als: »Jede Geschichte hat ihr Ende!« Als sie ihn dann fragte, was Scheherasad danach wohl gemacht hat, sah er sie mit großen Augen an. »Was Scheherasad danach wohl gemacht hat?«, wiederholte er. »Den Haushalt vielleicht?« Meine Mutter aber glaubte ihm nicht. Damals verstand ich ihre Aufregung ehrlich gestanden nicht.

Genau um elf Uhr fing die letzte Folge der Scheherasad an. Was dann folgte, hat mich schon als Zwölfjähriger gestört. Scheherasad soll den König nach Beendigung der letzten Geschichte um Gnade gebeten haben. Auf einen Wink hin sollen die Eunuchen und Ammen ihre Kinder gebracht haben, die sie dem König in dieser Zeit geboren hatte. Scheherasad nahm sie alle drei und brachte sie vor den König, küsste vor ihm den Boden und sprach: »O größter König unserer Zeit, dies sind deine Kinder, und ich flehe dich an, dass du mir den Tod erlässest um dieser unmündigen Knaben willen. Wenn du mich tötest, so sind diese Kleinen ohne Mutter, und sie werden unter den Frauen keine finden, die sie in rechter Weise erzieht.«

Es waren drei Knaben, einer von ihnen ging, der andere kroch und der dritte lag an ihrer Brust. Der Bericht über die drei Kinder, die flehende Scheherasad und der ganze elende Schluss sind nachzulesen in Littmanns Übersetzung.

Der König soll vor Rührung geweint und gesagt haben, er werde sie nicht umbringen lassen, denn sie sei »keusch und rein, edel und fromm«, und Scheherasad soll ihm dafür die Füße geküsst haben. Ich weiß heute nicht, warum ich diesen Schluss damals so schlecht fand. Vielleicht war es der Einfluss meiner Mutter, die wütend wurde, das Radio ausschaltete und nicht ins Bett, sondern in die Küche ging, um sich einen Kaffee zu kochen. Es war nach Mitternacht, aber wir saßen noch lange in der Küche zusammen.

»Nein, das kann einfach nicht sein!«, sagte sie nach langem Schweigen. »So eine Frau bettelt nicht um ihr Leben. Das hätte sie doch nach dem ersten Kind tun können. Warum hat sie denn dann so lange erzählt? Wahrscheinlich haben sie im Rundfunk kein Geld mehr!«, stöhnte sie verbittert und schwieg wieder. Auch am nächsten Tag wollte sie nicht glauben, dass Scheherasad mit zweiundzwanzig Jahren aufhörte zu erzählen. Sie wiederholte immer wieder, dass Scheherasad bestimmt noch länger erzählt hätte, der Rundfunk aber kein Geld mehr habe, um diese teure Sendung weiter auszustrahlen.

Die Erklärung meiner Mutter war schwach, doch sie überragt die unglaubwürdige offizielle Erklärung, die in den Büchern verewigt wurde.

Heute bin ich sicher, Scheherasad hatte nie aufgehört zu erzählen, denn Erzählen glich dem Leben und Schweigen dem Tod. Die Palastschreiber, die diese Geschichte zum ersten Mal schriftlich fixierten, bogen sie am Ende so hin, dass sie ihrem Brotherrn, dem Sultan oder dem Kalifen, gefiel. Was aber Scheherasad wirklich erzählt hatte, ist eine andere sehr lange Geschichte.

Eine Episode davon hat kein Geringerer als der große Edgar Allan Poe im Jahre 1845 verraten. Er schrieb sie unter dem Titel: »Die tausendundzweite Nacht der Scheherasad«. Und als hätte meine Mutter dem genialen Edgar Allan Poe, obwohl sie nach dessen Tod geboren wurde, ihre Meinung zugeflüstert, schrieb dieser am Anfang der tausendundzweiten Nacht: *»Da musste ich zu meinem Befremden die Entdeckung machen, dass die literarisch gebildete Welt sich bisher auf Grund der Ausführungen in den ›Märchen aus tausendundeiner Nacht‹ in grobem Irrtum über das Schicksal der Scheherasad, der Tochter des Veziers, befunden hat; der an dieser Stelle gegebenen Lösung kann, will man sie nicht schlechtweg als unwahr bezeichnen, der Vorwurf nicht erspart bleiben, einen wichtigen Teil der Geschichte unterschlagen zu haben.«*

Und Edgar Allan Poe erzählt über dreißig Seiten lang die Geschichte der tausendundzweiten Nacht, die so spannend endet, wie man es nie erwarten hätte können. Aber es wäre dumm, den Lesern zu verraten, was am Ende der tausendundzweiten Nacht geschehen ist, und damit die Lust auf so eine spannende Geschichte zu zerstören.

EINE ZAUBERHAFTE BRÜCKE NUR FÜR KINDER

> *»Wir meinen, das Märchen und das Spiel gehöre zur Kindheit: wir Kurzsichtigen! Als ob wir in irgendeinem Lebensalter ohne Märchen und Spiel leben möchten!«*
>
> Friedrich Nietzsche

Titel von Vorträgen und Büchern nehme ich sehr ernst. Ich überlege lange und spiele oft mit Varianten, bevor ich mich endgültig festlege. Als ich mich schließlich für den obigen Titel entschieden hatte und ihn aufschrieb, merkte ich beim lauten Lesen, wie seltsam er klingt. Aber diese Brücke ist wirklich nur für Kinder.

Die Brücke heißt Märchen, und sie verbindet Völker, Orte und Zeiten. Sie ist in ihrem mündlichen Ursprung älter als viele Religionen und Philosophien, und sie ist unvergänglich. Wie oft verkündeten die Pessimisten in ihren Hiobsbotschaften lauthals ihren Tod: Das Märchen sei gestorben, man brauche es nicht mehr. Man bemühte sich nachzuweisen, wie schädlich und schändlich das Märchen sei, und zitierte süffisant den einen oder anderen bedenklichen Satz aus dem unendlichen Schatz der Märchen. Überflüssig zu sagen, dass solche Sätze in jedem philosophischen und in jedem heiligen Buch zu finden sind, aber sie waren nie ein Grund dafür, Religion und Philosophie abzuschaffen.

Hämisch zeigte man mit dem Finger auf den Staub, der so manches Märchen bedeckte, und übersah die Müllhalden des Realismus, ganz zu schweigen von den Müllbergen des sozialistischen Realismus.

Am schlimmsten wirkt sich diese Haltung in der sogenannten Dritten Welt mit ihren ungeheuren Schätzen des mündlichen Erzählens aus. Die Pseudointellektuellen der Moderne in den meisten ehemaligen Kolonien handelten so, als sollten sie im Auftrag des Kolonialismus die eigene Kultur zerstören. Bis in die siebziger Jahre verachtete man in den arabischen Ländern alles, was aus der Zeit der mündlichen Erzählkunst stammte. Man behauptete, die Volkskultur gehöre der Vergangenheit an und verhindere die Emanzipation. Man wollte Balzac, Hemingway, Kafka und Tolstoi nachahmen und damit modern werden. Sie erinnerten mich an den unglücklichen Raben, dem es nicht gelang, wie ein Pfau zu stolzieren, und der später nicht einmal mehr wie ein Rabe gehen konnte.

Aber die Märchen haben alle Todesurteile und deren Richter überlebt. Dass diese Kunst so viele Jahrtausende überstanden hat, ist eine ungeheure Leistung. Es lassen sich uralte Volksmärchen aus allen Kontinenten neben Kunstmärchen der alten wie der neuen Zeit entdecken. Geschichten, die Kleopatra, Sokrates oder Jesus als Kinder hörten, stehen neben Märchen und phantastischen Geschichten der Moderne, die noch unsere Enkelkinder erfreuen und ihnen hin und wieder eine Gänsehaut verpassen werden.

Ist es nicht seltsam, dass Kinder ohne weiteres Zugang zu den Märchen finden? Ist es nicht seltsam, dass Kinder meine Märchen bei meinen ersten Auftritten in diesem Land vor dreißig Jahren auf Anhieb verstanden? Manche Erwachsene dagegen brauchten etwas länger …

Das war aber nicht immer so. Märchen wurden früher

für Erwachsene erzählt und von ihnen verstanden. Der Märchenerzähler wurde verehrt als eine wandelnde Bibliothek, gefüllt mit den Weisheiten der Völker. Warum also schlägt die Brücke heutzutage immer schwerer den Weg zu den Erwachsenen? Ich glaube, weil unsere Zeit – so sehr sie auf der einen Seite das Kind verhätschelt – immer mehr bemüht ist, aus Kindern so schnell wie möglich Erwachsene zu machen, in deren Herzen das Kindliche kein Asyl mehr findet.

WAS VERLIEREN WIR BEIM GANG DURCH DAS TOR IN DIE WELT DER ERWACHSENEN?

Die Antwort ist sehr kompliziert, aber ich versuche es so kurz wie möglich zu machen und nehme eine Ungenauigkeit in Kauf. Wir verlieren beim Gang durch das Tor zum Erwachsensein die Fähigkeit, uns zu wundern. Wir werden immer unfähiger, über Wunder in ihren alltäglichen Erscheinungen zu staunen. Wir lernen immer mehr, zu sehen, und weniger, zuzuhören, und das betrifft Männer weit mehr als Frauen.

Was sind das für glückliche Menschen, die bei diesem Durchgang Kinder bleiben.

Für die anderen Erwachsenen sind Märchen ins Unglaubliche übertriebene Geschichten, die höchstens Kindern etwas vorgaukeln. Und bis in die Gegenwart hinein erheben sich gelegentlich noch Stimmen, die behaupten, Märchen könnten schlecht sein für Kinder. Auch die Frage, ob Kinder überhaupt Märchen brauchen, taucht immer wieder auf. Der Psychologe Bruno Bettelheim hat darauf in seinem Buch »Kinder brauchen Märchen« mit Ja geantwortet.

Dass Kinder Märchen brauchen und lieben, wussten Eltern, Großeltern und am besten die Kinder selbst schon immer.

Wer aber Märchen ganz dringend braucht, sind die Erwachsenen. Für sie sehe ich eine große Chance, damit wieder Kind zu werden.

Wer Märchen liebt, sollte sich nicht lustig machen über Erwachsene, die das Tor zur Märchenwelt nicht finden. Vielmehr sollte er ihnen respektvoll die Angst nehmen, denn es ist die Angst, die ihnen den Blick versperrt. Wenn Sie einem Erwachsenen die Angst vor Märchen nehmen wollen, so sagen Sie ihm, dass nicht nur große Denker wie Bloch, Einstein, Fromm, Goethe, Balzac, Tolstoi, Gorki, Lagerlöf, Wilde und viele andere Märchen geschätzt haben, sondern bereits Leonardo da Vinci, der sogar selbst eine Menge Fabeln und Wunderwesen erfunden hat.

Die Neugier und die Fähigkeit, sich zu wundern, lässt die Kinder den Ort und sich vergessen und über jene Zauberbrücke in die Geschichte gehen. Ein Erwachsener, der, statt das Unsichtbare zu hören, das Messbare überprüft, der, statt sich in die Welt der Märchen einzufühlen, Mauern um sich baut, deren Steine aus Angst gemeißelt sind, deren Mörtel mit Überheblichkeit geknetet wurde, wird niemals den Genuss spüren, auf dieser Brücke zu gehen.

Die Weisheit der Märchen belohnt nur Suchende, aber derer nicht alle. Wer nach dem »Was bringt mir das?« sucht, wird die Märchen mit leeren Händen verlassen. Nur die arglos nach Weisheit, Freude, fernen und nahen Welten Suchenden werden reichlich belohnt. Um mit Erich Fromm zu sprechen: Diejenigen, die das Haben suchen, gehen leer aus; belohnt werden diejenigen, die das Sein suchen.

Ein Erwachsener muss noch einmal zur Unschuld seiner Kindheit zurückkehren und mit den Augen und Ohren eines Kindes verwundert die Welt neu entdecken. Das wusste schon Jesus, von dem der Spruch überliefert ist: »Lasst die Kinder zu mir kommen, hindert sie nicht, denn so wie diese ist das Königreich Gottes. Wahrlich ich sage euch: Wer das Reich Gottes nicht annimmt wie ein Kind, wird nicht in dieses eintreten.«

VON TAUSENDUNDEINER BRÜCKE

Ich fand sehr früh Zugang zur Märchenwelt. In Damaskus verging kein Tag ohne Geschichten. Die arabische Kultur ist sehr wortbetont, daher ist diese Kultur im Zeitalter der Visualisierung noch gefährdeter als andere.

Schweigen galt als negative Eigenschaft, bei einem Besucher als Unhöflichkeit. Aber dies hat auch seine Nachteile. Es erzieht die Kinder nicht zu nachdenklichen Menschen, sondern ermuntert sie, drauflos zureden, auch über Dinge, die sie nicht überprüft haben oder verstehen können.

Geschichten hörte ich auf der Gasse, beim Einkaufen, im Innenhof unseres Hauses und vor allem an den Winterabenden. Aber die erste wirklich intensive Zuhör-Erfahrung hatte ich, als ich mit meiner Mutter über zwei Jahre und acht Monate hinweg, Nacht für Nacht, die Geschichten von »Tausendundeiner Nacht« im Radio verfolgte. Und wie im Buch auch wurden die Geschichten Nacht für Nacht an einer spannenden Stelle unterbrochen, und Scheherasad versprach dem gewalttätigen König, wenn er sie noch einen Tag leben ließe, würde sie ihm die Geschichte weitererzählen. Der Herrscher Schahrayar wurde durch die Macht und den Zauber der Worte dieser tapferen Frau in ein Kind verwandelt, das, genau wie ich, genau wie meine Mutter, sehnsüchtig auf die Fortsetzung wartete.

Bei Scheherasad begriff ich zum ersten Mal, dass Erzählen dem Leben gleicht und Schweigen dem Tod. Es ist das höchste Lob, das Literatur je erhalten hat.

Mit meiner Mutter ging ich über tausendundeine Brücke zu den Völkern und Zeiten, und in jenen Nächten begriff ich, wie groß unsere Welt ist. Der Erdkundeunterricht in der Schule war dagegen ein langweiliger Brei aus Zahlen und Karten, den wir auswendig lernen sollten.

Als die letzte Nacht kam und die Geschichte endete, waren meine Mutter und ich enttäuscht. Wir konnten die offizielle Verlautbarung, Scheherasad habe aufgehört zu erzählen und lebe von nun an als brave Frau mit ihrem geheilten Mann, König Schahrayar, einfach nicht glauben. Aber das ist eine andere Geschichte.

Warum waren wir enttäuscht? Wir wussten beide, dass das Wort »tausendundeins« nicht nur die nackte Zahl meint, sondern ein Synonym für die Unendlichkeit ist. Und wir wussten beide, dass die Eröffnung *kan ja ma kan* nicht nur bedeutet, *es war oder es war nicht*, sondern auch *es war unter anderem, was es war.* Auch bei »Es war einmal«, dem Eröffnungssatz der meisten deutschen Märchen, wurde nicht nur die vergangene Zeit oder die Vergänglichkeit betont, sondern – wie es Ernst Bloch formulierte – auch die Zeit in einem utopischen Anderswo. Und damit entkommt diese Zeit den Krallen der Fixierung.

Das Arabische kennt die Verniedlichung nicht, die das deutsche Wort Mär (Kunde, Bericht) durch das »chen« erfahren hat. Für das Wort Märchen sagt man im Arabischen *hikaja* (Geschichte). Es stammt vom Verb *haka*, was im Sinne von »mündlich erzählen« gebraucht wird. Das Wort *haka* bedeutet aber auch: »die Wirklichkeit mit Worten nachahmen«. Es hat nichts Niedliches. Hier kommt der aristotelische Begriff der Nachahmung ins Spiel, nicht nur im Sinn einer angeborenen Fähigkeit aller Tiere, sondern auch auf einer menschenspezifischen, kulturell höheren Stufe: Der Mensch ahmt aus Freude an der Nachahmung nach und um dem Rezipienten Freude zu schenken und dabei auch noch zu lernen. Doch das Märchen sprengt die Grenzen der aristotelischen Nachahmung, wie ich noch erzählen werde.

Ein zweites Wort für Märchen ist *churafa*, was so viel wie »unglaubliche Geschichte« bedeutet. Es wird erzählt, das Wort sei der Name eines Mannes aus der Sippe der Udhra, der behauptete, die Dschinn hätten ihn entführt, und der nach seiner vermeintlichen Rückkehr Wundersames und Zauberhaftes vom Reich der Dschinn erzählte. So wurden später alle unglaublichen Geschichten *churafa* genannt.

Die zweite Bedeutung von *churafa* ist viel weiser und zutreffender. *Charafa* bedeutet ernten, daher heißt der Herbst, die Jahreszeit der Ernte, auf Arabisch *charif*. Und so ist das Märchen die Ernte des Lebens eines Menschen oder der ganzen Menschheit.

Dies, um einige Begriffe und ihre Nuancen im Arabischen zu erklären.

Aber warum konnte ich als Kind, warum können Menschen in allen Ländern der Erde Geschichten aus fernen Zeiten und Orten verstehen und genießen? Warum war es für meine Mutter und mich gleichermaßen eine spannende Geschichte, obwohl uns fünfundzwanzig Jahre trennten? Selbstverständlich ist das nicht. Davon können moderne Autoren nur träumen.

Die Märchen können so viel bewirken, weil sie aus Hoffnungen, Sehnsüchten und Wünschen der Menschen entstanden, weil sie über Ängste, Trauer und Freude der Menschen berichten, weil sie immer das Trennende als sekundär an den Rand schieben und das Verbindende in den Mittelpunkt stellen. Die Erzähler schöpften aus der Weisheit ihrer Völker, indem sie sie belauschten, das Gehörte in eine Form gossen und dem Volk als Märchen zurückgaben.

Sicher entstand und entsteht kein Märchen aus dem Nichts, sondern wurde von Menschen erfunden. In vorschriftlicher Zeit war das Märchen ein Nomade, der durch Orte und Zeiten wanderte, Veränderungen durchlebte, Varianten erzeugte, die manchmal mit ihrem Vorfahren nur noch den roten Faden gemeinsam hatten.

Die Schrift hat das Märchen sesshaft gemacht. Und in dem Moment begann die Erfolgsgeschichte des Kunstmärchens. Damit war zudem eine der gravierendsten Veränderungen vollzogen, die das Märchen durch die schriftliche Fixierung erfuhr. Sie hat, ohne die Mühe der Sammler schmälern zu wollen, hier und da aus der unendlichen Dichte eines Volksmärchens, mit dem man erzählenderweise einen, wenn nicht mehrere Abende füllte, ein schmales Kunstmärchen von manchmal nicht mehr als einer Seite gemacht.

Manche Geschichten sind in der Sammlung der Brüder Grimm wie auch in »Tausendundeiner Nacht« so gekürzt, dass selbst eine langsame Erzählerin sie in fünfzehn Minuten erledigt. Damit hätte Scheherasad niemals auch nur eine einzige Nacht überlebt. Dennoch ist es den Brüdern Grimm gelungen, die Märchen zu retten und lesbar zu machen. Abgesehen von der Zensur ist eine starke Reduktion und Konzentration des mündlich erzählten Textes notwendig, wünscht man ihm in der Schriftform ein langes Leben und große Verbreitung. Die schriftliche Fixierung einer mündlichen Erzählung im Verhältnis eins zu eins interessiert vielleicht Forscher, aber sie wird wohl kaum gelesen werden und verstaubt in den Regalen der Universitäten. Damit erweist man ihr einen Bärendienst: Dann lieber Grimm!

Dennoch ist die schriftliche Variante, die in einem Buch festgehalten wird, nur eine von vielen Möglichkeiten, aus denen auszuwählen jedem Erzähler überlassen wird.

Man sagt, Romane und Geschichten öffnen eine Tür zur Seele ihrer Schreiber und manchmal auch ein kleines Fenster zu deren Völkern. Aber ein Märchen kann viel mehr, als eine Tür oder ein Fenster öffnen. Es baut eine Brücke. Wir lesen und hören Märchen, aber die Distanz des Beobachters, die der Leser einer modernen Erzählung hat, verschwindet mit jedem Schritt, weil uns das Märchen, wenn es gut ist, auf besondere Art ins Geschehen hineinzieht. Wir verlieren die Distanz und wandern – sehr vertraut mit der Umgebung, wie exotisch diese auch sein mag – mit den Helden durch deren Orte und Zeiten.

Ich erzähle seit fast fünfzig Jahren frei, und wenn ich gefragt werde, welche Freude dabei meine größte sei, so antworte ich, mitzuerleben, wie Zuhörerinnen und Zuhörer Umgebung und Alltag vergessen, manchmal sogar sich selbst, und über die Brücke in die Geschichte hineingehen, mit den Helden leben, sich freuen und auch tiefe Trauer empfinden.

Ich weiß, dass das Publikum ein Koproduzent dieser Freude ist. Deshalb betone ich immer, dass ich großen Respekt vor ihm habe, weil es sich genau wie ich am Aufbau der Geschichte beteiligt.

Während der Arbeit an diesem Vortrag führte ich noch einmal ein Selbstexperiment durch. Ich las am Tag mehrere Märchen aus den Sammlungen meiner Bibliothek. Ich wollte überprüfen, ob mich die Märchen immer zu ihren

Orten tragen oder ob ich, weil ich sie so oft gelesen hatte, irgendwo hängen bleibe. Ich genoss sie alle, unabhängig davon, ob es sizilianische, indische, arabische, jüdische, deutsche, türkische, persische, afrikanische, amerikanische oder irische Märchen waren. Ich wanderte über eine Brücke von meinem Zimmer an den magischen Ort des Geschehens, fühlte mit den Helden, freute mich über ihre Siege, über eine gelungene List, ihre Liebe, trauerte mit ihnen über ihre Niederlagen und teilte mit ihnen Kummer und Sorge. Kaum war ich zurückgekehrt, nahm ich das nächste Buch, und schon war ich wieder auf der Brücke.

WARUM GEHT DAS BEI MÄRCHEN SO LEICHT?

Wenn man die Märchen der Völker vergleicht, findet man heraus, dass Märchen universelle Symbole einsetzen. Sie haben ähnliche Motive und behandeln die gleichen Grundthemen. Die universellen Symbole sind, im Gegensatz zu zufälligen und/oder konventionellen Symbolen, allen Menschen eigen. Sie wurzeln in deren Erfahrungen.

Diese Ähnlichkeit verführte sogar Wissenschaftler, nach einer Zauberquelle aller Märchen zu suchen, nach einem Zauberland, aus dem alle Märchen stammen. Man dachte, so wie Tomaten und Kartoffeln eindeutig aus Amerika stammen, müssen die Märchen auch ein Ursprungsland haben. Man kam schnell auf Indien. Indien verband sich in der Vorstellung der Europäer immer mit Exotik, Sinnlichkeit und Geheimnissen.

Diese Annahme ist sehr nützlich für den Aufbau von Katalogen, negiert aber die Tatsache, dass die Erde rund ist und dass der Mensch, seitdem er gelernt hat, aufrecht zu gehen, dauernd unterwegs ist.

Auch der nicht selten übertriebenen Verehrung mancher

Zahlen, wie 3, 5 und vor allem 7, liegt die Verwunderung über die Ähnlichkeit im Denken der Völker zugrunde. In den Märchen fast aller Völker sind drei Aufgaben zu lösen, erfüllen die Feen drei Wünsche. Es kommen drei Brüder vor, und der Sieger ist immer der jüngste, kleinste und schwächste. Den Sieg des kleinsten Bruders kann man auf zweierlei Arten interpretieren. Einmal im sozialen Kontext: Die unterdrückten Untertanen besiegen den mächtigen Herrscher oder den Feind oder das Monster. Oder einmal im biographischen Kontext: kleine Kinder können siegen, und deshalb sind Kinder, ohne ein Wort von sozialem Kampf zu verstehen, sofort solidarisch mit ihresgleichen, den Kleinen.

Aber wenden wir uns nach diesem Exkurs ins Land der Ähnlichkeiten dem Symbol im Märchen zu. Märchen sprechen mit ihren Symbolen, wie Fromm sagte, die Ursprache der Menschheit. Sie zeigen uns also, dass wir einander wegen der gemeinsamen Herkunft und Zukunft und entgegen aller Ideologien sehr nah sind. Die Märchensprache baut Brücken zwischen allen Völkern, über alle religiösen, kulturellen, ja sogar sprachlichen Unterschiede hinweg.

Es gibt kaum eine literarische Gattung, die in ihrer Verbreitung mit dem Märchen konkurrieren kann. Es gibt viele Völker, die eine bestimmte Dichtungsart oder den Roman nicht kennen, aber es gibt kaum ein Volk ohne Mythen und Märchen.

Und fragt man nach dem Grund, weshalb »Tausendundeine Nacht«, die Märchensammlung der Brüder Grimm oder die Bibel in so vielen Sprachen bekannt sind, so gibt es keine andere vernünftige Antwort, als dass diese Bücher in der Tat eine unsichtbare, aber solide Brücke zwischen den Kulturen der Erde bauen.

WELCHE BRÜCKEN BAUT DAS MÄRCHEN UND WIE?

Eine Brücke entsteht dort, wo zwei Ufer sind. Das eine Ufer ist die Stimme und das andere sollte ein oder mehrere Ohren sein.

Wir betonen zu sehr die Rolle des Erzählers und der Erzählerin und vergessen den Partner, das Publikum, die Zuhörerinnen und Zuhörer (und auch Leser und Leserinnen), ohne die ein Märchen nicht entsteht. Das Zuhören wird kaum gewürdigt, oder haben Sie von einem Preis für das beste Ohr gehört? Ich bin sicher, es wird eine Frau sein, weil Frauen durch ihre Erfahrung in der Geschichte gelernt haben, besser als Männer zuzuhören, aber das ist eine andere Geschichte, die ich bereits erzählt habe.

WAS PASSIERT BEIM ZUHÖREN?

Beim Zuhören übt der Mensch die Kunst der Imagination. Wie genau bläst der Wind, welcher Regen war das, wie fühlt sich der Sand an, was für eine flirrende Hitze herrschte auf der Straße? Welches Gesicht hatte der Held der Geschichte? Und mehr.

Anders als das Sehen, das uns alles mühelos vor Augen führt, schult das Zuhören unsere Fähigkeit, die Phantasiegebiete in unserem Hirn zu erweitern.

Hört man eine Geschichte, so wird man ermuntert, eine Fortsetzung des Geschehens zu spinnen und immer etwas schneller als das Gehörte zu sein. Man wird mutig und wählt auch ungewöhnliche Alternativen, so wie ein Schachspieler lernt, immer kompliziertere Wege zu gehen, da die einfachen bereits bekannt und vom Gegner leicht zu durchschauen sind.

EINE ERSTE BRÜCKE entsteht beim Erzählen. Sie geht vom Erzähler zu den Zuhörern und setzt dort einen hundertfachen Brückenschlag unter den Zuhörern in Gang. Beim Zuhören entsteht ein Gemeinschaftsgefühl, eine Art der Verbundenheit, die beim Lesen nicht entsteht. Lesen ist wunderbar, aber es ist eine einsame Tätigkeit. Die Zuhörer einer Geschichte bilden allmählich ein Wesen, das in die Geschichte eintaucht, obwohl jeder Mensch seine einmalige, individuelle Erfahrung mit dem Gehörten macht. Und aus dieser Gemeinschaft geht eine Brücke zurück zum Erzähler. Sie vermittelt die Stimmung unter den Zuhörern (Sympathie, Apathie etc.) und lässt Veränderungsvorschläge leise herüberwandern, die dem Erzähler verbal oder nonverbal zeigen, in welche Richtung er gehen soll. Ein Märchen verändert sich immer durch die Begegnung mit dem Publikum.

EINE ZWEITE BRÜCKE schlagen Märchen zwischen Mensch und Natur. Sie ist eine der ältesten Brücken. Sie brachte Ordnung in das Chaos.

Nachdem sich der Mensch vom Tierreich durch seinen aufrechten Gang, durch die Arbeit seiner Hände abgehoben hatte, begann er zu beobachten. Er registrierte die Naturphänomene, sein eigenes und das fremde Verhalten, begann sich zu Traumbildern, Ängsten, Wünschen, privaten und öffentlichen Ereignissen zu äußern. Er ordnete das Wissen nach Gebieten. Das Märchen schlug Brücken zwischen diesen Gebieten, lange vor der Religion, der Geschichtsschreibung oder der Philosophie, und stellte vernünftige Zusammenhänge her, zeigte Konsequenzen und resümierte. Mit einem Wort, das Märchen stellte eine gewisse Ordnung im Chaos her. Dieses Ordnungsschaffen hat Apuleius bereit 170 n. Chr. in der Geschichte »Amor und Psyche« erzählt. Da helfen tüchtige Ameisen der Psyche, ein heilloses Chaos aus Weizen, Gerste, Hirse, Mohn, Erbsen,

Linsen und Bohnen säuberlich auseinanderzuklauben, und ordnen seine Bestandteile in verschiedene Häuflein. Immer wieder wurde dieses Motiv in allen Kulturen übernommen, auch von den Brüdern Grimm. Hier steht Aschenputtel fast verzweifelt vor dem Haufen Linsen, den sie binnen weniger Stunden von der Asche befreien und säuberlich trennen muss. Hier sind es die Tauben, die Ordnung in die Dinge bringen und Aschenputtel siegen lassen.

Das Märchen verbindet diese geordneten Gebiete zu einem Ganzen, mit dem die ersten Versuche gelangen, ein komplexes Bild der Welt zu erstellen. Es ist der erste Versuch der Menschheit, eine poetische Antwort auf die Frage nach dem Sein der Welt und dem Sinn des Lebens zu geben.

Man sagt ironisch, die geschriebene Geschichte der Völker sei voller Märchen und Mythen. In Wahrheit sind die Märchen, wie Claude Lévi-Strauss nachgewiesen hat, voller Geschichte. Das Schriftliche gehörte seit seiner Entstehung immer zum Herrscher und seinen Institutionen, während das Mündliche lange, sehr lange, der einzige Ausdruck des Volkes blieb. In ihm pulsierte das Leben der kleinen Leute, ihre Sorgen und ihre Hoffnung fanden hier Platz und nicht in den Rollen und Büchern, die im Palast des Herrschers und unter seiner Aufsicht geschrieben wurden. Die Geschichte der Völker wurde bald die Geschichte der Herrscher. Eine gerechte Geschichte der Menschheit kann nicht geschrieben werden, ohne ihre mündlichen Geschichten zu berücksichtigen. In diesen Geschichten, die nicht für das Volk, sondern vom Volk erzählen, werden Märchen und Mythen eine zentrale Rolle spielen.

Das Märchen hat, wie man sieht, bei allen Themen so viele Ebenen und Schichten, die noch nicht bürokratisch übereinandergestapelt, sondern lebendig durcheinander sind. Deshalb werden alle Versuche scheitern, das Märchen besserwisserisch in ein Korsett zu zwängen. Man kann sich der Wahrheit dessen, was in den Märchen steckt, nur annähern. Wie sonst sollte man mit einer gewachsenen Volkskunst umgehen, die in der Ruhe von Jahrtausenden meisterlich geschliffen wurde, die Geschichte, Psychologie, Traumbilder, Witz, Moral, Erziehung, Spannung und andere Bestandteile auf das Raffinierteste amalgamiert hat!

EINE DRITTE BRÜCKE geht vom Märchen zum Leser/Zuhörer. Es schenkt ihm Trost. Das Märchen baut Stein für Stein eine Brücke über den Abgrund von Trauer oder Einsamkeit. Die wundersamen Abenteuer verschweigen die Abgründe nicht, sie zeigen aber immer hoffnungsvolle Auswege und bieten Vergleiche mit noch größeren Problemen und Krisen, die andere Menschen gemeistert haben. Dadurch verliert das eigene Problem ein wenig von seiner bedrohlichen Größe.

Auf diese Weise konnte das Märchen Kummer und Leid vertreiben und Menschen animieren, sich auszusprechen, nicht direkt, sondern mittels einer Geschichte, und das war nicht selten bereits der erste Schritt einer Heilung.

Es ist mit Sicherheit übertrieben, zu behaupten, Märchen würden im Orient als eine Art kollektiver Volkspsychotherapie betrachtet, aber ein Körnchen Wahrheit steckt in dieser Behauptung.

EINE VIERTE BRÜCKE besteht bekanntermaßen zwischen den Märchen eines Volkes und den Hörern und Lesern eines anderen Volkes. Eine Brücke, über die ein Chinese schnell Zugang zu Seele und Lebensweise eines Arabers, eine Deutsche zu einer Chilenin und ein Südafrikaner zu einem Amerikaner findet. Das ist meines Erachtens die größte Leistung des Märchens. Ein Romancier, ein moderner Lyriker oder ein Theaterautor kann davon nur träumen.

Wir können nicht alle Eigenschaften besprechen, die im Wesen des Märchens stecken und ihm zu dieser unvorstellbaren Kraft verhelfen. Aber ein paar Betrachtungen als Würdigung können von Nutzen sein.

FLACHHEIT DER FIGUREN

Freunde wie Gegner des Märchens sind sich trotz unterschiedlicher Wertungen einig: Märchen arbeiten mit Reduktion. Deshalb werden sie überall verstanden. Gemeint ist: Die Helden sind zweidimensional. Sie haben keine psychologische Tiefe. Sie halten selten einen inneren Monolog, man weiß nur wenig über ihre Seele. Sie reagieren kaum auf Schmerzen, auch wenn Blut fließt.

Wer die Einfachheit der Darstellung, die Eindeutigkeit der Charakterisierung der handelnden Personen für naiv hält, hat nichts oder nur wenig von der Bedingung des mündlichen Erzählens begriffen. Man übersieht die Voraussetzung der mündlichen Erzählkunst, nämlich den roten Faden der Geschichte so konzentriert wie nur möglich zu erzählen und sich nicht in der Tiefe oder in inneren Monologen zu verlieren, die als *Lesestoff* von größter Wichtigkeit sein können, aber fürs *Hören* ungeeignet sind.

Als Kind des mündlichen Erzählens muss das Märchen also auf lange innere Monologe und spezielle Erklärungen der Helden, die kein Zuhörer verfolgen, geschweige denn behalten kann, verzichten. Ich habe das Märchenerzählen mit dem Weben eines Teppichs verglichen und das moderne Erzählen (Romane, Kurzgeschichten, Theater) mit der Bildhauerei, die räumliche Figuren herstellt, die man von allen

Seiten betrachten kann. Das sind zwei vollkommen verschiedene Künste.

Die erwähnte Zweidimensionalität wurde von manchen Kritikern als Schwäche des Märchens gegenüber dem Roman mit dessen Tiefen und Untiefen bezeichnet. Das Gegenteil ist richtig. Sie ist ein Element der Stärke. Und das ist eines der Geheimnisse des Märchens.

Die Zuhörer/Leser ergänzen die Flachheit einer Person der erzählten Geschichte nämlich mit einer dritten Dimension der Seele/Psyche aus dem eigenen Reservoir an Erfahrung und bauen diese Tiefe im Verlauf der Erzählung aus. Damit beteiligen sie sich an der Gestaltung des Märchens und machen es zu ihrem eigenen.

Durch die Zweidimensionalität bietet das Märchen also eine Chance der Aneignung. Und das ist nichts anderes als ein Brückenbau. Das Märchen gibt keine Ausgestaltung der Psyche einer handelnden Person vor, mit der viele Völker nichts anfangen können. Auch innerhalb einer Sprache werden Leser abgestoßen, wenn sie das behandelte Thema (der Kern der Geschichte) nicht interessiert. Und das ist umso wahrscheinlicher, je spezifischer das Thema ist. Eine übertriebene Nabelbetrachtung lässt viele Leser einen Roman sehr schnell zur Seite legen und nach einer für sie und ihr Leben interessanteren Lektüre suchen. Dies geschieht unabhängig davon, wie wichtig die Nabelbetrachtung für den Autor selbst ist.

Das Leben ist viel zu kostbar, um es mit Langeweile zu vergeuden. Jedes Kind weiß, dass die Welt voll von spannenden Geschichten ist. Ich habe beobachtet, dass Kinder dafür bar bezahlen, mit ihrem Eis und ihrer Sympathie und Apathie. Ich lernte also sehr früh, mir beim Erzählen alles zu erlauben, nur nicht, die Kinder zu langweilen, denn sie würden nicht wie die Erwachsenen mit geschlossenem Mund gähnen und Gott bitten, diesen Kelch der Langeweile an ihnen vorübergehen zu lassen, sondern einfach protestieren und dem Erzähler deutlich zeigen, dass er sie langweilt. Ich habe mir also angewöhnt, alle meine Zuhörerinnen und Zuhörer als Kinder zu betrachten, und so habe ich großen Respekt vor ihnen.

DIE UNMESSBARE DIMENSION

Die Gegner des Märchens nehmen es ihm übel, dass es unrealistisch ist, nicht selten auf die Wirklichkeit pfeift und seine phantastischen Höhenfluge vollführt, als würde man noch keine Physik kennen. All das zählt für sie zu den großen Schwächen des Märchens. Während sich also die realistische Literatur dauernd bemüht, glaubwürdig zu erscheinen, erlaubt sich das Märchen wie ein ungezogenes Kind darauf zu verzichten, ja auch noch lauthals stolz darauf zu sein.

Märchen abzustempeln, weil sie unwahr sind, grenzt an Ignoranz, als ob sich Literatur jemals der Wahrheit verpflichtet hätte. »Die Wahrheit und nichts als die Wahrheit wollen nur Richter hören«, sagt einer der Helden meiner Geschichten. Anders, noch härter gesagt: Immer wenn die Literatur behauptete, die Wahrheit und nichts als die Wahrheit zu verbreiten, rollte das vernichtende Unheil bereits hinter ihr her.

Um zu zeigen, warum diese Eigenschaft des »Unrealistischen« eher eine Stärke ist, muss ich zum großen Meister Aristoteles zurückgehen.

Er ist – nach unseren heutigen Kenntnissen – der erste große Lehrer der Poetik. Von ihm haben wir einiges über die Mimesis gelernt, die Nachahmung des Lebens, der Wirklichkeit, wodurch Literatur und Kunst entstehen. Die Kunst sollte die Wirklichkeit gezerrt (etwa satirisch) oder getreu (naturalistisch oder realistisch) widerspiegeln. Doch beim Märchen scheint dieser Anspruch zu scheitern. Märchen ahmen niemals die Wirklichkeit nach, sonst wären sie Geschichten und keine Märchen. Ich meine das nicht politisch, wie etwa in der modernen emanzipierten Frauenliteratur oder im sozialistischen Realismus, die politische und gesellschaftliche Gegenbilder entwarfen – ich meine es wörtlich: Märchen nehmen weder Raum (wie etwa die Insel der Utopisten, auf der alles harmonisch abläuft) noch Zeit (etwa in früheren oder zukünftigen Zeiten, wo alles wunderbar läuft) als Fluchtmöglichkeit, um eine Harmonie zu realisieren. Märchen nehmen unsere mühsam errungenen klaren Definitionen von Raum und Zeit nicht einmal zur Kenntnis. Die Welt des Märchens befreit sich und die Zuhörer von all diesen roten Linien und Grenzen. Sie mischt Vergangenes mit Gegenwärtigem und Zukünftigem. Ihre Helden altern nicht, solange das Märchen es nicht braucht. Die Helden tafeln an Tischen wie den unseren, aber es stört sie nicht, dass ein Ahne oder Geist, Engel oder Teufel mit am Tisch sitzt.

Sie sind trotzdem Kunstwerke von atemberaubender Schönheit. Sollte man also das mimetische Modell von Aristoteles zum alten Eisen werfen? Meine Antwort lautet: Nein, wir müssen nur die Auffassung von der Wirklichkeit vom starren Beharren auf die nur messbaren Elemente der Wirklichkeit befreien. Traum, Wunsch, Angst und Hoffnung sind unmessbare Elemente der Wirklichkeit und sie beeinflussen diese mehr als alles Messbare. Und gerade diese Elemente machen die Märchen so unsterblich und grenzenlos.

Und so wie Einstein die Zeit als vierte Dimension eingeführt hat, um der Natur näher zu kommen, so würde auch die »Dimension des Nichtmessbaren« als Prinzip der Kunst selbige noch präziser machen. Diese Dimension erfüllt genau die Sehnsucht des Menschen in allen Kulturen nach dem Wunderbaren, nicht nur als Flucht aus dem grauen bis grausamen Alltag, sondern als Möglichkeit, die Wirklichkeit zu vertiefen.

MÄRCHEN SIND MANCHMAL EINE ZUGBRÜCKE, SCHWER EINZUNEHMEN, BEWEGLICH UND VOLLER ÜBERRASCHUNGEN

Carl Gustav Jung versuchte die Verbreitung des Märchens und seine hervorragende Eignung als Brücke für alle Menschen unabhängig von ihrer kulturellen Herkunft mit dem Unbewussten zu erklären. Er ging davon aus, dass es so etwas wie ein kollektives Unbewusstes mit Archetypen gibt, das ein gemeinsames Grundmuster in der Psyche aller Völker, unabhängig von ihrer Kultur, voraussetzt. Dieses kollektive Unbewusste drückt sich in Bildern aus, die in allen Märchen und Mythen auftauchen. Diese These erklärt einige Erscheinungen im Märchen, aber sie scheitert an vielen Stellen. Einige Jungianer, wie die bekannte Forscherin Marie-Louise von Franz, führen diesen Mangel darauf zurück, dass es nationale Eigenarten gibt. Ja, dass es so etwas gibt wie »nationale Mythen«. Man vergisst dabei, dass Mythen und Märchen in uralten archaischen Gesellschaften entstanden: Sie waren längst etabliert, bevor es so etwas wie Nationen, geschweige denn Nationalismus gab. Nein, ich denke, diese Archetypen des Unbewussten reichen noch nicht, um Mythen und Märchen zu verstehen. Es müssen auch die kulturhistorischen und alltäglichen Lebenserfahrungen, die Utopien, Träume, Wünsche, Zukunftssorgen und andere Faktoren dazukommen, um eine gute Annäherung an das Wesen des Märchens als Brücke zu den vielen Kulturen zu ermöglichen. Und manchmal müssen wir – zum Glück – gar nicht zu deuten versuchen, was gemeint sein könnte. Vor allem dann, wenn hinter allem nichts außer der Freude am Erzählen steckt.

Hermann Bausinger, der Volkskundler und Germanist, hat es zutreffend formuliert: »Die Märchen enthalten, ja sie *sind* Sinnbilder; aber sie ›meinen‹ nichts Bestimmtes. Wilhelm Grimm sprach im Zusammenhang mit der weiten Verbreitung von Märchen von ›einem tiefen Brunnen, dessen Tiefe man nicht kennt, aus dem aber jeder nach seinem Bedürfnis schöpft‹.« Die Symbolik des Märchens erlaubt Deutungen, durchaus verschiedenartige Deutungen – aber das Symbol selbst »bleibt letztlich jeder Deutung überlegen«.

Aus diesem Sachverhalt rührt das Unbehagen an allen »systematischen Deutungen der Märchen, also an Interpretationen, welche die Märchen als Beleg für ein bestimmtes System verstehen. Eine solche einseitige Ausrichtung kann zwar hilfreich sein, weil sie auf Deutungsmöglichkeiten aufmerksam macht; aber wird sie verabsolutiert zur einzig möglichen Deutung, so wird die Geschichte selbst verraten. In diese Kritik ist das anthroposophische System der Einweihungs- und Entwicklungsstufen ebenso einzubeziehen wie ein (von der Lebenswirklichkeit der Analysanden abgehobenes) allgemeines psychoanalytisches System unbewusster Prozesse«.

Wir wissen wohl, dass das Märchen durch das Nacherzählen immer weiter verändert wurde. Jede historische Epoche hat ihre Fingerabdrücke auf den Märchen hinterlassen, und auch innerhalb einer Epoche entstanden je nach Region aus einem Märchen mehrere Varianten. Die Menschen (und zwar eher die Angehörigen der Unterschichten) veränderten die Märchen nach ihren Bedürfnissen. Am deutlichsten können wir das beobachten, wenn wir sehr alte Märchen und Mythen lesen, die gerade von Archäologen entdeckt wurden. Sie wirken fremd, spröde, die Handlung springt abrupt, nicht weil sie schlecht erzählt wurden, sondern weil sie nicht für unsere Ohren bestimmt und bearbeitet wurden. Dieses Rundschleifen der Jahrtausende macht es möglich, dass wir Sindbads oder Odysseus' Abenteuer so leicht verstehen und spannend finden.

Rotkäppchen hat unzählige Variationen erfahren, und sie sind bestimmt nicht alle durch psychologische Gesichtspunkte zu erklären.

Das kommt daher, dass das Märchen, als eine der ältesten Erzählgattungen, mündliche Wurzeln hat. Es ging mit seinen mündlichen Erzählerinnen und Erzählern auf die Wanderschaft und wurde von den Völkern verstanden. Die Suche nach Glück, Liebe, Anerkennung, Wahrheit und Vollkommenheit ist allen Kulturen damals wie heute bekannt. Auch empfinden alle Menschen und erleben auf die gleiche Weise Angst, Freude, Hunger, Krankheit, Ehrlichkeit, Lüge, Lachen, Weinen, Kämpfen, Alleinsein, Liebe und Hass. Es gibt kaum ein Volk, das sich über Hunger und Tod freut.

Unterschiede bestehen in der Form, wie wir das alles zum Ausdruck bringen. So sind Odysseus' und Sindbads Reisen große Abenteuer, aber bei Sindbad ist immer die Hinreise interessant, die Rückreise wird kaum beschrieben. Bei Odysseus ist es umgekehrt. Aber es gibt keine Unterschiede im Empfinden. Ein kleines Beispiel soll das zeigen. Araber betrachten den Friedhof als einen Ort der Vernichtung. Aus der Wüste kommend, behielten sie die Vergänglichkeit auch bei der Gestaltung ihrer städtischen Friedhöfe vor Augen. Sie sind schlicht, unscheinbar und überhaupt nicht einladend. Man will den Tod so schnell es geht vergessen. Europäer dagegen pflegen ihre Friedhöfe so, als freuten sie sich über den Tod. Sie gehen sogar dort spazieren. Ist das aber nicht ein anderer Weg, die Angst vor dem Tod durch das geschmackvolle Ambiente vergessen zu machen? Araber weinen sich beim Tod eines ihrer Angehörigen die Seele aus dem Leib. Die Trauergäste weinen manchmal lauter als die betroffene Familie, sodass die Trauernden in der Gemeinschaft den Schmerz überleben, vergessen. Es gibt Familien, die sogar auf Nummer sicher gehen und professionelle Klageweiber holen, die das Mitleid so lange melken, bis kein Auge mehr trocken ist. Deutsche dagegen feiern mit der betroffenen Familie einen »Leichenschmaus«. Als ich das Wort kurz nach meiner Ankunft, ausgerüstet mit einem schlechten Wörterbuch, hörte, bekam ich einen Schreck. Ich dachte, die Deutschen würden die Leichen ihrer Angehörigen essen. Nein, die Gäste essen mit der trauernden Familie, sie stehen ihr bei und geben sich Mühe, sie ins Leben zurückzuholen.

Das Unterscheidende kann, aber muss uns nicht trennen. Es kann uns manchmal sogar bereichern. Wir wissen auch, dass allzu große Ähnlichkeit zwischen Geschwistern, Völkern und Kulturen nicht selten zur Feindschaft führt. Dies alles kann man nicht allein mit dem »Unbewussten« erklären. Ein harmloses Beispiel kann das verdeutlichen: Mag sein, dass in einem europäischen Märchen alle Motive, Bilder, Träume und Wünsche allgemeine Gültigkeit besitzen (Archetypen). Verstößt aber ein Bild, ein Satz, eine ironische Anspielung, bedingt durch die Politik, gegen die

Würde eines muslimischen Menschen, so verschließen sich Herzen und Köpfe einer Milliarde Menschen gegenüber diesem Märchen. Das gilt genauso für Märchen, in denen Frauen verachtet werden. Und durch die moderne Kommunikation artikuliert sich die Ablehnung heute viel schneller als vor fünfzig Jahren. Das alles trägt zur Wirkung eines Märchens, eines Kunstwerks bei.

So kompliziert ist ein Märchen. Fast so kompliziert wie sein Erfinder: der Mensch.

EIN WORT ZUM ABSCHIED

Wenn Sie jemanden hören, der Märchenerzähler hochnäsig lächerlich macht, sei es mit Ausdrücken wie »Märchenonkel« oder »Erzähl mir doch kein Märchen«, so haben Sie Mitleid mit ihm. Er ist entweder ein Dummkopf oder ein unbedarfter Ignorant, der nichts weiß von dieser grandiosen und soliden Brücke der Menschheit.

Wer Märchen verachtet, ähnelt dem Dummkopf, der mich vor dreißig Jahren in einer Heidelberger Kneipe »Kameltreiber« nannte. Er war sprachlos, als ich mich fröhlich und bescheiden dafür bedankte: »Leider ist es für mich zu viel der Ehre. Ich beherrsche diese hohe Kunst nicht. Ein Kamel durch die Wüste zu treiben, ist so kompliziert wie die große Kunst der Aquarellmalerei. Dagegen sind Pferde, Maultiere und Esel fromme Lämmer.«

»Dann bist du eben kein Kameltreiber«, sagte der Mann enttäuscht.

Rassisten gönnen einem auch gar nichts!

HINTER JEDEM SPRICHWORT LAUERT EINE GESCHICHTE

»Ein Sprichwort ist ein kurzer Satz,
der sich auf lange Erfahrung gründet.«
Miguel de Cervantes Saavedra

»Sprichwörter sind Romane des armen Volkes.«
Anonymus

Araber sind süchtig nach Sprichwörtern. Ihre Gespräche sind gespickt davon, und sie setzen sie ein, als wären es Hilfestellungen eines unsichtbaren Weisen, der ihre Meinung untermauert. Sprichwörter müssen knapp formuliert und eingängig sein. Daher sind sie oft in Reimform gehalten. Sprichwörter sind für den Augenblick geschaffen, können jedoch lange leben. Aber sie sind nicht geeignet, in Versuchsreihen und Prüfungen zu bestehen. Und sie fürchten sich nicht vor Widersprüchen. »Gleich und gleich gesellt sich gern«, heißt es etwa und genauso: »Gegensätze ziehen sich an.« Das soll nur bedeuten, dass der Mensch, Quelle aller Sprichwörter, selbst widersprüchlich ist und sich nicht in Statistiken erfassen lässt.

Sprichwörter wurden über lange Zeiten hinweg mündlich tradiert und später auch schriftlich fixiert. Sie spiegeln Sitten, Träume, Moralvorstellungen, Ängste, Freuden und Schmerzen eines Volkes wider. Die Quelle der Sprichwörter ist nicht etwa die Bibel. Im Gegenteil, die anonymen Schreiber der Bibel griffen auf, was bereits jahrtausendelange tradiert worden war. Die Quelle der Sprichwörter ist in der

Seele eines Volkes zu finden, dem Konzentrat seiner Erfahrungen. Nicht selten aber sind die Ereignisse und Geschichten, aus denen viele Sprichwörter hervorgingen, inzwischen verloren.

Mein Vater kannte einen Friseur, der für viele Sprichwörter eine Geschichte parat hatte. Er war altmodisch, und sein Salon war nicht gerade einladend, aber der Mann stand unbeirrt in seinem weißen Kittel da, als wäre er der Privatfriseur des Sultans. Einmal begleitete ich meinen Vater. Er setzte sich, als er an der Reihe war, auf den Frisierstuhl und sagte: »Ich nehme deinen Haarschnitt in Kauf und zahle sogar dafür, wenn du meinem Sohn eine der vielen Geschichten erzählst, die du kennst. Er liebt Geschichten.«

»Gut«, sagte der Friseur, nicht im Geringsten beleidigt angesichts der Herabwürdigung seiner Frisierkunst. »Wenn du heute ein Sprichwort hörst, während ich diesen Wildwuchs auf dem Kopf deines Vaters mit meiner Solinger kultiviere, dann frage mich danach. Vielleicht kenne ich eine Geschichte dazu«, sagte er und klapperte mit der Schere, auf die er stolz war. Darauf stand *Made in Germany* und *Solingen*, und das hielten viele für eine Marke, auch mein Vater, der eine solche Schere für seinen Schnurrbart benutzte.

Ich blätterte in Zeitschriften, die auf dem Tisch lagen, und lauschte dem Gespräch, das der Friseur mit fünf, sechs Männern führte, während er die Haare meines Vaters schnitt. Drei-, viermal rief mein Vater entsetzt: »Pass doch auf, du schneidest mir noch das Ohr ab!«

»Ach was, es ist nur ein Kratzer«, erwiderte der Friseur routiniert und kalt.

Und dann endlich fiel ein Sprichwort. »Scheich Sanki haben wir gemeinsam begraben«, sagte mein Vater zu einem der Männer im Salon. Aus dem Zusammenhang des Gesprächs verstand ich in etwa den Sinn: Der Mann kannte die Wahrheit, tat aber so, als wüsste er von nichts.

Dazu wollte ich die Geschichte hören. Mein Vater wusste nicht, was hinter dem Sprichwort steckte, der Friseur schon.

Scheich Sanki haben wir gemeinsam begraben

Zwei Straßenräuber waren alt und gebrechlich geworden und hungerten sich durch die Tage. Da kam der eine auf die Idee, den Menschen nicht länger nachzulaufen, sondern sie zu sich kommen zu lassen, um sie auszurauben.

»Eine Bank gründen?«, fragte der andere.

»Wäre schön, aber so, wie wir aussehen, wird uns keiner sein Geld anvertrauen. Nein, wir errichten eine Gedenkstätte, ein Heiligengrab für einen gottesfürchtigen Scheich, der vor dreihundert Jahren gestorben ist und nun im Paradies lustwandelt. Und wir spielen die Diener dieses Heiligen, der alles heilt und auch sonst alle Wünsche erfüllt. Dafür müssen die Leute nur eine Kleinigkeit spenden.«

Die Idee gefiel dem anderen Räuber, und so bauten sie auf einem einsamen Hügel nahe Damaskus ein kleines Häuschen mit einer winzigen grünen Kuppel. Ein großes geschmücktes Grab füllte den einzigen Raum. Dahinein legten die Räuber die Knochen des Hammels, den sie zuletzt geraubt und während der Arbeit am Haus gegrillt und gegessen hatten. Alles an diesem Haus war geraubt, die beiden Fenster, die Tür, die bunten seidenen Tücher, die von der Decke hingen und dem Raum etwas Sakrales schenkten, ja sogar die Kleider samt Turban hatten die beiden aus einer Moschee entwendet.

Und dann hockten sie sich mit ernstem Gesicht vor die Tür, murmelten irgendetwas in ihren Bart hinein und ließen dabei die Perlen eines Gebetskranzes – übrigens ebenfalls geraubt – durch ihre Finger gleiten. Sie sahen in der Tat überzeugend aus, und die Weihrauchschwaden wehten den letzten Zweifel an der Echtheit der heiligen Gedenkstätte von dannen.

Es verging kein Tag, und schon drängten sich Neugierige um das Grab. Die beiden Räuber sprachen wenig und machten nur vage Andeutungen. Jede Frage nach der Erfüllbarkeit eines Wunsches aber, und war er noch so irrsinnig, beantworteten sie mit Ja. Die Frage nach dem Kindersegen wurde bald zum Schlager, und Schwangere konnten sogar wählen, ob sie ein Mädchen oder einen Jungen haben wollten. Händler brauchten nur ihren Geldbeutel über das Grab zu halten und ihn dreimal zu reiben, und schon waren finanzielle Sorgen für ein ganzes Jahr verbannt. Und Mütter von Emigranten baten den Scheich um eine baldige gute Nachricht von ihren Söhnen in Amerika, Australien oder Saudi-Arabien.

Die Leute äußerten ihre Wünsche und spendeten den bescheidenen Wächtern des Heiligengrabes etwas Geld. Bald kamen die Leute in solchen Mengen, dass unten am Fuß des Hügels eine Bushaltestelle eingerichtet wurde, die auch ohne Schild den Namen »Scheich-Sanki-Station« trug. Alle Bus- und Taxifahrer der Gegend kannten sie. Bald begannen die beiden, andere Grab- und Heiligenstätten zu erkunden, um ihre eigene Arbeit noch zu verbessern. Sie ließen einen blühenden Garten um das Haus anlegen und stellten einen Korb mit Lamettafäden neben das Grab. Jeder Bittsteller wurde aufgefordert, einen Faden mitzunehmen und ihn, wenn seine Wünsche erfüllt würden, und nur dann, zurückzubringen und an eine Stange über dem Grab zu binden. Sicherheitshalber hatten die beiden bereits über hundert Fäden an der Stange befestigt.

Das Geschäft blühte nicht, es glühte. Ging nämlich einer von zehn Wünschen in Erfüllung, so verbreitete sich die Kunde davon in Damaskus wie ein Lauffeuer. Bald pilgerten selbst Ungläubige zu der Heiligenstätte, um sich ein Bild zu machen. Und sie spendeten heimlich, denn es war inzwischen bekannt, dass sich Scheich Sanki Geizhälsen gegenüber ungnädig zeigte und ihnen das Gegenteil ihrer Wünsche brachte.

Nach kurzer Zeit schon hatten sich beide Räuber ein Haus gekauft und lebten in Saus und Braus. Sie gewannen in jeder Hinsicht an Gewicht, und ihre Gesichter verloren alles Räuberische und wurden rund und glatt.

Eines Tages erkrankte der eine Räuber und musste eine Woche zu Hause bleiben. Der zweite aber nahm aus alter Gewohnheit alle Einnahmen an sich und behauptete, es hätte keine einzige Spende gegeben. Doch als sein Gefährte ein paar Wochen später von einer Frau erzählt bekam, dass sich ihre große Spende gelohnt habe, denn ihr verschollen geglaubter Sohn sei gesund und reich aus Australien zurückgekehrt, erkundigte er sich nach der Spende. Der gierige Räuber versicherte, er habe die Frau nie gesehen, und um seinen Worten noch mehr Glaubwürdigkeit zu verleihen, rief er: »Ich schwöre bei Scheich Sanki, Gott hab ihn selig, dass ich keine Spende bekommen habe!«

»Scheich Sanki?«, brüllte der Betrogene zurück. »Scheich Sanki haben wir gemeinsam begraben.«

Auf dem Weg nach Hause sprachen wir, mein Vater und ich, über die Schätze, die langsam verlorengehen: Märchen, Legenden und Sprichwörter. »Wenn sie jemand sammeln würde«, sagte mein Vater, kurz bevor wir in unsere Gasse einbogen, »könnte er sich nicht nur eine goldene Nase verdienen. Er würde außerdem als Held verehrt, so wie der heilige Georgios, der die Königstochter vor dem Drachen gerettet hat. Im Grunde ist das nur ein Symbol: Die Königstochter ist die junge Kirche und der Drache ist die Gewalt des heidnischen Römischen Reiches, mit der die Frühchristen verfolgt und ermordet wurden. Mit Tausenden von tapferen Frauen und Männern hat Georgios als Märtyrer in Palästina die junge Kirche groß gemacht, bis das Römische Reich vor ihr kapitulierte. Und so wird der Sammler die Weisheiten des Volkes vor dem Drachen des Vergessens schützen.«

Ich beschloss, Sprichwörter und Legenden, Märchen und Volkserzählungen zu sammeln und aufzubewahren, um ein Held wie der heilige Georgios zu werden. Damals hatte ich mich gerade in Mirjam, die Tochter des Uhrmachers Gabriel, verliebt. Sie war nicht nur hübsch, sondern hatte eine Zunge, die der meiner Mutter ähnelte. Und ich hatte nichts, womit ich protzen konnte. In Sport war ich eine Niete, an Geld fehlte es mir unentwegt, und meine Kleider waren vom Billigsten. Zu bieten hatte ich nur eins: Ich las viel, aber das zählte nicht. Nun dachte ich, der Augenblick sei gekommen. Ich wollte ein Buch schreiben. Der Titel stand schon fest: »Hinter jedem Sprichwort lauert eine Geschichte«. Ich kalligraphierte ihn besonders sorgfältig, und als ich die Geschichte von »Scheich Sanki« in schöner Schrift aufschrieb, füllten sich vier Seiten. Also, dachte ich, der Friseur ist grässlich, aber nach dreißig Friseurbesuchen werde ich ein richtiges Buch zusammenhaben.

Doch es sollte anders kommen.

Mein zweiter Besuch beim Friseur war mein letzter. Und auch das hat eine Geschichte.

Wer den Leimpinsel nicht gespürt hat, der weiß nichts vom Geschehen

Schwere Wolken hingen über Damaskus, dennoch ging ich bestens gelaunt aus dem Haus. Endlich konnte ich den Regenschirm gebrauchen, der bei uns seit Jahren nur als Staubfänger diente und ansonsten arbeitslos war. Wann regnete es schon in Damaskus! Jetzt aber wurde der Regen mit jedem Schritt stärker, und ich amüsierte mich auf dem Weg über die vorbeihuschenden Passanten. Alle waren noch in sommerlicher Kleidung unterwegs, denn im September regnete es in Damaskus höchstens einmal im Jahrhundert.

Als ich den Laden erreichte, machte der Friseur gerade seinen Lehrling zur Schnecke und jagte ihn zum Teufel. Dieser gehorchte jammernd und trat ohne Schirm und Jacke in den Regen hinaus. Der Friseur triumphierte wie ein Gockel.

Als einer der Männer ihn fragte, wie er es geschafft habe, den störrischen Mitarbeiter in den Regen zu schicken, antwortete der Friseur: »Wer den Leimpinsel nicht gespürt hat, der weiß nichts vom Geschehen.«

Mir war dieses Sprichwort durchaus vertraut. Es geht zurück auf den heißen Leim, der aus Rinderknochen gewonnen wird. Möbelbauer und Tischler haben ihn bis in die siebziger Jahre hinein verwendet, Geigenbauer tun dies noch heute. Der Leim wird im kochenden Wasserbad heiß gehalten und als dicke Flüssigkeit aufgetragen. Beim Erkalten erstarrt er zu einer harten Masse.

In dem Sprichwort wird eine schlimme Strafe angedroht, die allerdings getarnt ist. Wer ahnt schon, dass hinter dem Wort Leimpinsel eine schreckliche Geschichte steckt!

Ich bat ihn, mir die Geschichte dieses Sprichworts zu erzählen. Er lachte, klapperte ein paarmal mit seiner Solinger Schere und sagte: »Also gut. Ein alter Löwe mahnte kurz vor seinem Tod seinen Sohn, sich vor dem Menschen in Acht zu nehmen, der das allergewalttätigste Tier der Erde ist.

›Und wo lebt dieses Tier?‹, fragte der junge Löwe neugierig.

›Hinter dem Dschungel. Denn wo dieses Monster lebt, da sterben die Bäume bald‹, sagte der Vater pathetisch.

Der junge Löwe wurde neugierig und er machte sich auf den Weg. Am Rande des Dschungels traf er auf ein Tier, das er noch nie im Wald gesehen hatte. ›Bist du ein Mensch?‹, fragte der Löwe.

›Nein, um Gottes willen, ich bin ein Esel. Aber der Mensch, der mich ein Leben lang gequält und meine Kraft ausgelaugt hat, hat mich nun den Wölfen zum Fraß vorgeworfen.‹

›Und ist er wirklich so stark, wie mein Vater erzählte?‹

›Junger Herr, ich weiß nicht, was der König der Tiere über dieses Monster gesagt hat. Ich aber sage dir, er ist schlimmer als jede Beschreibung.‹

Der Löwe ging weiter und sah einen Rappen. Eine solche Muskelkraft hatte er in seinem jungen Leben noch nie zu Gesicht bekommen. Wie ein Sohn der Nacht war der Rappe geheimnisvoll und bedrohlich zugleich. Er schlug aus, wieherte stolz, galoppierte im Kreis und stieg ohne den geringsten Anlass auf die Hinterbeine. Eine imposante Erscheinung!

›Bist du ein Mensch?‹, fragte der Löwe.

›Ach, was? Bin ich etwa so hässlich? Quäle ich den Rücken anderer mit meinem Gewicht? Raube ich auch nur einem einzigen Wesen die Freiheit? So, junger König, ist der Mensch, und du wirst ihn bald nicht mehr übersehen können.‹

Der junge Löwe zog weiter. Er begegnete einem noch gewaltigeren Tier, das er noch nie gesehen hatte. Auf seine Frage hin lachte das Kamel. ›Was habe ich dir getan, dass du mich für so ein niederträchtiges Wesen hältst. Aber du bist ihm schon sehr nahe gekommen. Dort drüben fängt seine verfluchte Siedlung an‹, sagte das Kamel und zeigte mit dem Kopf in eine Richtung. Der Löwe folgte dem Hinweis. Und kaum war er noch ein Stück gegangen, traf er auf ein Wesen, das auf zwei Beinen ging und mit bunten Tüchern umwickelt war. Stark allerdings sah es nicht gerade aus.

›Bist du ein Mensch?‹, fragte der Löwe.

›Ja, das bin ich. Kann ich dir helfen?‹

›Helfen? Nein, aber kannst du mir erklären, warum alle Tiere Angst vor dir haben? Du bist so mickrig, und ich kann mir nicht vorstellen, dass du einen Prankenhieb überlebst, mit dem ich eine Antilope umbringen kann. Also, warum haben die Tiere, sogar mein Vater, so einen Respekt vor dir?‹

›Deine Pranken und Reißzähne sind deine Rüstung, und du siehst mich hier ohne meine Rüstung. Wenn du Mut hast, dann warte hier. Ich gehe nur kurz ins Haus und kehre in voller Montur zurück. Dann wirst du verstehen, warum die anderen Tiere Angst vor mir haben. Aber ich glaube, du wirst die Nerven verlieren. Der Mut wird dein Herz verlassen und deine Beine werden laufen, so schnell sie können. Und ich hätte meine Rüstung umsonst getragen. Also, lassen wir das, Junge. Geh in den Wald zurück und amüsiere dich mit den Antilopen. Du bist zu jung für einen Kampf.‹

Der junge, aber voll ausgewachsene Löwe war sich seiner Kräfte bewusst. Er fühlte sich beleidigt. Noch nie hatte es jemand gewagt, an seinem Mut zu zweifeln. ›Ich flüchte nicht, nicht einmal vor stärkeren Löwen, sieh dir meine Narben an‹, erwiderte er stolz.

›Narben, Narben, da kann ich nur lachen. Ich habe doppelt so viele‹, rief der Mensch. ›Aber ich will sicher sein, dass du dableibst, und deshalb binde ich dich an diesen Baum, damit du nicht flüchten kannst. Hab keine Angst, dieses Seil soll dir nur helfen, hierzubleiben.‹

Der Löwe, der noch nie im Leben gefesselt gewesen war, willigte ein. Er wollte zeigen, wie mutig er war.

Der Mensch, ein Tischler, wie sich herausstellen sollte, fesselte den Löwen an einen großen Walnussbaum, ging in seinen Laden, holte eine Peitsche, schwenkte sie vor den Augen des überraschten Löwen und ließ sie auf den Rücken des armen Tieres niedersausen. Der Löwe brüllte auf vor Schmerz. So etwas hatte er noch nie erlebt. Es regnete geradezu Peitschenhiebe auf ihn herab, bis der Löwe in Ohnmacht fiel. Als er wieder zu sich kam, stand dieser hässliche Mensch vor ihm und grinste ihn über das ganze Gesicht an. In der Hand trug er einen dampfenden Topf. ›Die List und die Peitsche sind nur zwei meiner tausendundein Waffen. Und damit du nie vergisst, wer dein Herr ist, lasse ich dich die dritte spüren. Sieh, das ist ein Leimpinsel‹, sagte der Mann und drückte den heißen klebrigen Pinsel mit aller Kraft in den Löwenbauch. Der Löwe wand sich vor Schmerz. Doch die Fesseln waren so stark, dass er auch dann wehrlos war, als der Mann mit dem kochend heißen Pinsel seinen Hintern erwischte. Der Löwe winselte vor Schmerz und bettelte um Gnade. Eine Ratte hörte ihn, und obwohl sie Katzen nicht ausstehen konnte, erweichte das Elend des Löwen ihr kluges Herz. Unbemerkt schlich sie zum Löwen und zerbiss mit ihren scharfen Zähnen das Seil. ›Wasch schnell deinen Hintern, bevor das Zeug erstarrt‹, fiepte die Ratte und eilte in das Unterholz zurück. Der Löwe bedankte sich und rannte in den Wald. Dort wusch er sich in einem Bach und erholte sich von den Qualen. Bald waren seine Wunden verheilt. Aber er erzählte niemandem die Wahrheit. Er behauptete, die Narben stammten von Kämpfen mit anderen Löwen. Jede Narbe sei eine Erinnerung an einen getöteten Rivalen. Bald war er der mächtige König in einem großen Revier. Er herrschte über Tausende von Tieren.

Eines Tages erinnerte ihn eine der Narben an den Tischler, und er wollte sich an ihm rächen. Er nahm sich zehn mutige Löwinnen als Begleitung und suchte die Siedlung auf. Dort sah er den Tischler. Als dieser das Löwenrudel erblickte, flüchtete er mit seinem Lehrling auf den Nussbaum.

Die Löwen gingen um den Baum herum, aber der Stamm war ihnen zu glatt, da rief der kluge Anführer: ›Steigt über mich zum Baum hinauf. Ihr wisst, ich kann leicht zehn Löwen auf meinen starken Schultern tragen. So erreicht ihr die erste Astgabelung, und von da könnt ihr den Verfluchten herunterstoßen, damit ich ihm seine gerechte Strafe verpasse.‹

Gesagt, getan. Die Löwinnen beeilten sich und sprangen eine nach der anderen auf den Löwen, von da auf den Rücken der zweiten, der dritten und so fort …

Der Tischler sah die Löwinnen immer näher kommen.

Als die siebte Löwin zu klettern begann, rief der Tischler seinem Lehrling zu: ›Schnell, gib mir den heißen Leimpinsel!‹ Der Rudelführer, unser vernarbter Löwe, hörte das Wort ›Leimpinsel‹ und fühlte die Verbrennungen auf seiner Haut. Laut brüllend warf er die Löwinnen ab und rannte davon. Die Löwinnen stürzten alle übereinander und folgten ihrem Anführer panisch in den Wald. Als der Löwe schließlich stehen blieb, um Atem zu schöpfen, versammelte sich seine zornig gewordene Gefolgschaft um ihn. Eine alte erfahrene Löwin fragte den Löwen, was in ihn gefahren sei, dass er beim harmlosen Wort ›Leimpinsel‹ wie ein Hase davonlaufe. Der Löwe schüttelte seine Mähne. ›Wer den Pinsel nicht gespürt hat, der weiß nichts vom Geschehen‹, sagte er.«

Ich erinnere mich noch heute genau an diesen traurigen Augenblick, als ich aus meinen Gedanken an den armen Löwen wieder auftauchte und in den Spiegel sah. Ein hässlicher Junge starrte mir entgegen. So einen misslungenen Haarschnitt hatte ich später nie wieder. Nichts hatte gestimmt, nicht einmal die Form und die Länge der Koteletten. Von den drei Verletzungen am Ohr, an der Wange und am Hals ganz zu schweigen, die der Friseur mir vor lauter Lachen zugefügt hatte. Als ich ihn darauf aufmerksam machte, dass der Haarschnitt schief und krumm war, gab er sich überrascht, kramte umständlich in der Schublade nach seiner Brille, setzte sie auf und sagte nur: »Oh!«

Dann fing er an, die Länge zu egalisieren, hier und dort noch eine Spitze abzuschneiden und die beiden Koteletten in Form zu bringen. Wie nebenbei erzählte er mir, dass er halb blind sei, seine Brille aber hasse, die seine Nase drücke und sich schnell beschlage. »Das Haar lädt sich elektrisch auf, wird vom Glas wie von einem Magnet angezogen, und ich sehe bald überhaupt nichts mehr«, fügte er hinzu.

Und wie er dann die Haare all seiner anderen Kunden schneide, wollte ich wissen.

»Nach Gefühl, diese Schädel schneide ich doch seit vierzig Jahren. Ich kenne jede Rundung und Narbe. Dein Kopf ist mir neu, ich muss dir nur ein paarmal die Haare schneiden, dann kenne ich auch deinen Schädel.«

Ich wollte nie wieder hingehen. Nicht nur, weil meine Mutter mir unterstellte, ich hätte das Geld für Zigaretten ausgegeben und mir die Haare von einem Schafscherer so scheußlich kürzen lassen. Auch nicht, weil sich die Wunde am Ohr entzündete und höllisch schmerzte. Es war vielmehr so, dass mich meine Freundin Mirjam zum ersten Mal auslachte. Sie unterstellte mir, ich würde in die Armee eintreten wollen und meinen Kopf deshalb verunstalten, damit ich blöd genug aussah. Dann hielt sie inne und betrachtete mein Gesicht eingehend. Das sei mir gelungen, sagte sie.

Das gab mir den Rest. Ich ließ meinen Plan fallen, das Buch zu Ende zu schreiben.

Erst vierzig Jahre später schickte mir meine Schwester ein Buch mit Damaszener Sprichwörtern. Soweit ich mich erinnere, schrieb sie, hast du als Fünfzehnjähriger so ein Projekt vorgehabt. Nun hat ein anderer die Sprichwörter gesammelt.

Ich blätterte in dem Buch. Es waren sorgfältig und gewissenhaft zusammengetragene Sprichwörter und eine Menge Geschichten. Neben jeder Geschichte war der Name des Erzählers vermerkt. Bei den meisten Geschichten stand der Name des Friseurs. Ich lachte, weil ich mir den Sammler unter der gnadenlosen Schere dieses Friseurs vorstellte. Ich surfte im Internet und gab bei der Bildsuche den Namen des Herausgebers an. Ich wurde reichlich belohnt. Der Mann war eitel und hatte Fotos von sich aus allen Lebensphasen ins Internet gestellt. Er war als Kind, als Schuljunge, als Jugendlicher, als Soldat, als Lehrer und als Sammler von Märchen, Sprichwörtern und Legenden in Syrien zu sehen. Es gab auch Familienfotos und Fotos, auf denen er zusammen mit berühmten syrischen Persönlichkeiten zu sehen war.

Man sah den Bildern an: Bis etwa siebzehn hatte der Mann wunderschöne Haare und einen passenden Haarschnitt gehabt. Dann aber gab es einen Bruch. Danach zeigten ihn alle Fotos mit scheußlichen Haaren.

Lieber Haare verlieren als Sprichwörter, könnte man sagen. Und das klingt auch schon fast wie ein Sprichwort und hat bereits seine Geschichte.

DER WETTBEWERB DER LÜGNER

Weil ich als Kind häufig krank war, musste ich oft das Bett hüten. Im Kinderzimmer bekam ich den Schlafplatz am Fenster, sodass ich am Tag das Geschehen im Innenhof verfolgen konnte, und in der Nacht vertrieben die Geschichten, Anekdoten, Gerüchte und Witze, die dort erzählt wurden, meine Schmerzen. Danach konnte ich, wenn auch spät, immer gut einschlafen. Die Geschichten waren nicht unbedingt für Kinder gedacht. Und daran hatte ich den meisten Spaß.

Eines Nachts erlebte ich einen ungewöhnlichen Wettbewerb. Es war eine Nacht im Juli. Damaskus hatte den ganzen Tag unter der erbarmungslosen Sonne geglüht. Die Nacht war zu müde, um all die Hitze wegzutragen.

Die Leute saßen im Innenhof und unterhielten sich lange, hofften auf eine Brise frische Luft und darauf, völlig ermattet, endlich in den Schlaf zu sinken. Als Kind merkte ich im Lauf der Jahre, dass sich die Erzählungen einer ganz bestimmten Ordnung folgend veränderten, je weiter der Abend fortschritt. Erst wurden Gerüchte ausgetauscht, dann kamen Geschichten aus dem Alltag, vermengt mit Politik, und je später es wurde, umso phantastischer wurden die Geschichten. Noch nie hatte ich einen Wettbewerb der Erzähler erlebt. Es winkten weder Medaillen noch Geld, die die Erzähler hätten verführen können. Allein die Freude am Fabulieren trieb die Frauen und Männer in die Arena.

Ich wurde erst aufmerksam, als einer in der Runde sagte, er kenne die beste Dschinn-Geschichte. Großer Protest erhob sich unter den Zuhörern. Und Aida, die Frau des Postboten, rief in die Runde: »Welche Geschichte du auch über Dschinn und Geister zu erzählen hast, du wirst sie im Vergleich zu meiner Geschichte bald für lauwarme Limonade halten.« Erst jetzt richtete ich mich ein wenig im Bett auf und sah in den Hof hinaus. Ich kannte den Rivalen. Es war der alte Schlosser Gibran. Er ließ sich nicht einschüchtern.

»Aida, Aida«, sagte der Mann mit gespieltem Mitleid, »du hast große Worte in deinen schönen kleinen Mund genommen, aber das ist noch nicht der Beweis für eine gute Erzählung.«

Aida wollte etwas erwidern, doch die Nachbarin Suad war schneller.

»Also erzählt, und wir entscheiden, wer besser ist«, sagte sie und sprach damit allen, auch mir, aus der Seele.

»Du bist der ältere von uns beiden. Fang an«, forderte Aida den Schlosser mit einem ironischen, siegessicheren Lächeln heraus.

Dschinn im Hammam

»In meiner Kindheit«, sagte Gibran, der alte Schlosser, und schlürfte genüsslich laut seinen Tee, »war der Hammam in der Bakri-Gasse noch ein prachtvolles Gebäude. Heute ist er ja leider ziemlich verfallen.« Er lachte. »Mein Großvater hatte zum Entsetzen seiner Frau viele Schauergeschichten von diesem Hammam anzubieten. Seine Lieblingsgeschichte, die er uns immer wieder erzählen musste, war die von dem Dschinn, der baden wollte. Aber vielleicht ist es zu dieser späten Stunde unpassend, so etwas zu erzählen …«

»O nein«, kam es aus den Mündern der Versammelten. Der alte Fuchs lächelte zufrieden. Einige setzten sich noch einmal zurecht, um ihre Aufmerksamkeit zu unterstreichen.

»Nun gut, eines Nachts klopfte jemand an die Haustür des Einseifers. Als dieser halbverschlafen fragte, wer da sei, erwiderte eine männliche Stimme: ›Ein Fremder, und ich will baden. Der Hammam ist offen, aber der Meister ist noch nicht da, und man hat mir gesagt, ich soll dich, den zweiten Meister, wecken.‹

Das war durchaus nicht unüblich. Das Bad öffnete seine Tore um drei Uhr morgens, weil viele Männer gern badeten, ehe sie in die Moschee gingen. Und nicht selten kamen die ersten Badegäste früher als der Meister.

Also stand der Einseifer unwillig auf und ging hinter dem Badegast her. Ein Laufbursche war gerade dabei, die Deckenleuchter anzuzünden. Damals gab es noch kein elektrisches Licht, nur Öllampen, die in den dunklen Stunden des Tages ein wenig Licht spendeten.

Der Gast zog sich aus, legte sich auf den warmen Boden, und der Einseifer begann mit seiner Tätigkeit, aber die Lichter der Öllampen wurden schwächer und immer schwächer, sodass er nicht mehr gut sehen konnte. ›Entschuldigen Sie bitte‹, sagte er zum Gast, ›ich rufe den Laufburschen, er soll die Lampen richten.‹ Doch gerade als er davongehen wollte, sagte der Gast: ›Machen Sie sich keine Mühe, ich mache das schon.‹ Und bevor der Einseifer überlegen konnte, woher der Fremde so schnell eine Leiter holen wollte, um an die Lampen zu kommen, fuhr dieser seinen Arm aus wie eine Autoantenne. Die Hand streckte sich langsam, aber stetig in Richtung Decke, ungefähr vier Meter weit, und drehte an den Öllampen, die dort oben einen Kranz bildeten. Der Einseifer erschrak zu Tode. Er rannte hinaus und atmete erst auf, als er seinen Meister an der Kasse erblickte. ›Meister, Meister, ein Dschinn ist im Bad!‹, rief er atemlos.

›Ein Dschinn!‹, wiederholte der Meister belustigt.

›Ja‹, antwortete der Einseifer, ›du wirst mir nicht glauben. Doch ich schwöre bei Gott, er hat seine Hand ausgefahren und konnte, während er auf dem Boden lag, ohne Weiteres an den Öllämpchen drehen und …‹

›Langsam, langsam‹, unterbrach ihn der Meister. ›Wie hat er die Hand ausgefahren, etwa so?‹ Und der Meister fuhr seinen Arm sechs Meter weit aus, holte mit der hohlen Hand Wasser aus dem Springbrunnen und spritzte es dem Einseifer lachend ins Gesicht. Jetzt verlor der Arme fast die Besinnung. Er rannte barfuß nach Hause und klopfte heftig an die Tür. Seine Frau schaute aus dem Fenster im zweiten Stock.

›Was ist mit dir?‹, fragte sie.

›Die Dschinn haben den Hammam besetzt!‹, rief er in seiner Panik.

›Warte‹, rief ihm seine Frau vom Fenster aus zu, ›ich helfe dir!‹ Und sie fuhr ihre beiden Arme aus, um ihn hinaufzuziehen. Laut schreiend lief der Mann wie ein Besessener aus dem Viertel.«

Die Zuhörer lachten verlegen und gaben in dieser Nacht besonders viele Kommentare. Ich bemerkte die Angst, die trotz der heiteren Verpackung aus den Worten strömte.

Ich fand es damals reichlich abergläubisch, aber zum Hammam wollte ich nie wieder gehen. Wer weiß! Ich badete lieber zu Hause.

Aber nun zurück zu jenem Wettbewerb.

»Deine Geschichte ist wirklich witzig«, sagte Aida in die

still gewordene Runde. »Man kann sie als gute Unterhaltung abheften. Ganz anders meine Geschichte. Die hat meine Schwester mit meinem Schwager erlebt. Und alles, was ich euch jetzt über diese Fee oder Dschinn-Frau erzähle, ist wahr.«

Der Pechvogel und sein wundersamer Furz

»Mein Schwager«, begann Aida, »saß eines Nachts allein in seinem Innenhof. Plötzlich schmerzte ihm der Magen fürchterlich und er furzte laut, sodass seine Frau, meine Schwester Hanan, im nahen Schlafzimmer erwachte und ängstlich rief: ›Es ist Krieg!‹ Im Innenhof roch es inzwischen nach Verwesung. Es war allerdings ein Furz von seltener Qualität, gezüchtet aus Bohnen, Zwiebeln und Knoblauch.

Als Hanan im Nachthemd in den Hof kam, hielt sie sich die Nase zu. ›Hier riecht es nach Leichen. Vielleicht ist Krieg ausgebrochen, während wir zu Abend gegessen haben. Heute geht so etwas sehr schnell‹, sagte sie.

›Geh schlafen, Frau, es ist kein Krieg‹, erwiderte Isam, so hieß mein Schwager.

Als meine Schwester schweren Schrittes in das Schlafzimmer zurückkehrte, erschien meinem Schwager eine kleine Fee, die silbern glitzerte, und er bekam die größte Angst seines Lebens.

›Fürchte dich nicht! Du hast mit deinem Furz alle meine sieben Erzfeinde erstickt. Sieben auf einen Wind! Als Dank hast du bis zur Morgendämmerung drei Wünsche frei, sprich und sie werden erfüllt‹, sagte sie und wartete.

Mein Schwager, ein erfolgloser Maler, der immer schon geträumt hatte, einmal auf dem Montmartre zu leben, rief aufgeregt: ›Ich will auf der Stelle nach Paris!‹

Um ihn wurde es dunkel. Als er zu sich kam, war er tatsächlich in einer geräumigen Wohnung in der Rue Lepic, nicht weit vom ›Café de deux Moulins‹ in Montmartre. Er sah sich um und wünschte, seine Frau wäre bei ihm, damit auch sie erlebte, was ihm alles gelang. Eilig rief er die Fee herbei: ›Nun wünsche ich mir meine Frau an meine Seite!‹ Es krachte wie ein mittelgroßer Knallkörper, und aus der kleinen Wolke stieg meine Schwester herab. Sie war barfuß und in ihrem Schlafrock, und außerdem war sie müde und fror. Die Wohnung war nicht geheizt und draußen herrschte eisige Kälte. ›Was machen wir hier?‹, fragte sie entsetzt.

›Wir sind in Paris. Hier werde ich die schönsten Bilder malen‹, rief mein Schwager Isam fröhlich.

›Bist du verrückt. Ich will zurück zu meinen Kindern‹, schrie Hanan, seine Frau, und weinte vor Wut und Kälte. Sie wollte von all den Schwärmereien ihres Mannes, dass das Leben in Paris paradiesisch sei, nichts hören.

›Ich pfeife auf dein Paradies, ich will zu meinen Kindern‹, jammerte sie und war nun überzeugt, den falschen Mann geheiratet zu haben, der, statt Brot für seine Kinder herbeizuschaffen, seinen Träumen nachhing.

Wütend über so viel Undankbarkeit äußerte mein Schwager seinen dritten Wunsch: Seine Frau solle auf der Stelle zu ihren Kindern zurückgebracht werden.

Und so erzählt meine Schwester in Damaskus bis heute, dass sie in jener Nacht, als ihr Mann verschwand, einen merkwürdigen Traum gehabt hätte, in dem sie absurderweise barfuß und im Schlafrock in Paris stand. Und wer sie nach ihrem Mann fragt, dem antwortet sie bitter, er gehöre zu denen, die vorgeben, Zigaretten zu holen, und nie wieder zurückkommen.

Und in Paris erzählt mein Schwager, der als armer Kellner sein Brot verdient, jedem, der Ohren hat, wie er immer davon geträumt habe, nach Paris zu kommen, und wie er es bis heute bedauere, dass eine Fee seinen Wunsch erfüllt habe.«

Aida hielt inne.

»Großartig«, sagte Suad. »Ist es aber auch wirklich wahr?«

»Ja, das schwöre ich euch. Man kann inzwischen nicht mehr mit meiner Schwester darüber reden, weil sie sofort wütend wird und die Beherrschung verliert.«

»Was würdet ihr sagen«, fragte Suad in die Runde, »wer ist der Sieger?«

Man spürte, welche Spannung in der Luft lag. Die Zuhörer schienen peinlich berührt, aber nicht lange.

»Hört zuerst noch meine Geschichte«, mischte sich nämlich Adnan jetzt ein, ein stämmiger Mann, der erst vor zwei Jahren mit Frau und Tochter in das Haus eingezogen war. Die Familie war schnell von den Nachbarn akzeptiert worden, die bald schon merkten, dass Samia und Adnan gegen den Willen ihrer Sippen eine Liebesehe geschlossen hatten. Nie kam einer aus Samias oder Adnans Familie zu Besuch. Nie sprach ihre Tochter Latifa von den Großeltern. Adnan hatte nach Jahren der Schufterei in Saudi-Arabien einen alten Lastwagen gekauft, mit dem er Obst und Gemüse aus den Gärten von Damaskus nach Jordanien, in den Libanon und den Irak transportierte. Die Damaszener waren schon immer gute Händler gewesen, und so hatte Adnan stets genug Aufträge. Samia, seine Frau, eroberte schnell die Herzen der Nachbarn, weil sie eine begnadete Gesangsstimme hatte, und wenn sie sich vergaß und in ihrer Küche zu singen begann, schalteten die Nachbarinnen die Radios aus und lauschten der schönen Stimme. Tochter Latifa war als Mädchen blass und zu ruhig. Man vergaß fast, dass sie auch da war. Adnan war seinerseits immer freundlich zu uns Kindern und beschenkte die Nachbarinnen und Nachbarn mit Parfum, Schokolade, Kaugummi und Zigaretten. Alles Schmuggelware. Ich liebte die Schokolade aus der Schweiz, die er ab und zu aus Beirut mitbrachte. Sie schmeckte ganz besonders, vor allem bei der Vorstellung, welche Reise diese Tafel Schokolade gemacht hatte, bevor sie auf meiner Hand landete. Das Papier faltete ich zu einem Lesezeichen, das Silberpapier faltete meine Schwester zu winzigen Booten und Drachen. Sie kaute wie alle Mädchen im Haus nur noch geschmuggelten amerikanischen Kaugummi.

Ich dachte, der Mann kennt alle Straßen der Welt, alle Lastwagen-, Zigaretten-, Schokoladen- und Parfumsorten und dazu meinetwegen alle Zollbeamten, die er auf seinen Fahrten bestechen musste, aber dass er ein Märchenerzähler ist, hätte ich nie im Leben für möglich gehalten. Aber in jener Nacht damals war er es, und was für ein begnadeter.

»Wir wollen aber keine Schmugglergeschichten.« »Also, ich bitte dich. Seit wann glaubst du an Dschinn. Du glaubst doch nicht einmal an Jesus.« »Hast du mich nicht vor einem Jahr ausgelacht, als ich dir sagte, ich hätte Angst vor dem Dschinn im Keller?« »Ich will auch keine Zollgeschichten!« So hörte ich die Nachbarn durcheinanderrufen. Adnan lächelte nur.

»Gemach, gemach. Ich habe auch nicht an Dschinn und Engel geglaubt, aber was passiert ist, war wahrscheinlich als Strafe für meinen Unglauben gedacht. Beruhigt euch und hört meine Geschichte, dann werdet ihr die vorangegangenen Geschichten vergessen. Denn was ich erzähle, ist nicht wie bei Gibran aus dritter und bei Aida aus zweiter, sondern, wie es sich gehört, aus erster Hand. Ich bin persönlich einem Dschinn begegnet. Aber ich habe mit niemandem darüber gesprochen, damit mich die Leute nicht auslachen. Aber wenn ihr unbedingt wollt, dann erzähle ich heute davon. Allerdings unter einer Bedingung: Die Geschichte bleibt unter uns. Einverstanden?«

Natürlich waren alle einverstanden. Und eine solche Stille, wie sie jetzt eintrat, habe ich in unserem Innenhof selten erlebt.

Der verliebte Dschinn

»Ihr werdet kaum glauben, was ich mit dem Dschinn erlebt habe«, wiederholte Adnan in jener Nacht. »Vor einem Monat fand ich in einer alten Ruine nicht weit von Katana eine bronzene Lampe. An diesem Tag hatte ich Probleme mit dem Motor meines Lastwagens. Ich rief bei meiner Werkstatt in Damaskus an, und sie schickten mir einen Mechaniker. Er sei in einer Stunde da, sagte der Werkstattmeister am Telefon. Um die Wartezeit zu verkürzen, schlenderte ich in der Gegend umher. Da sah ich in der Ferne eine Ruinenstadt, eine der vielen aus der Zeit der Griechen oder noch älter. Dort angekommen, wunderte ich mich über einen Teich hinter einer kreisrunden Mauerruine. Das Wasser war voller Algen. Ich ging einmal um den Teich herum, und gerade als ich zu meinem Lastwagen zurückgehen wollte, entdeckte ich plötzlich eine bronzene Lampe am Ufer, eigentlich eine billige Öllampe, interessant vielleicht für Touristen, denn sie war mit schönen Kalligraphien ausgestattet. Der Algen wegen konnte ich den Spruch allerdings nur mühsam entziffern: Deine Haftzeit ist die Ewigkeit. Das stand darauf. Und nun wollte ich die Lampe meiner Frau schenken. Ihr kennt Samia. Sie liebt solche geheimnisvollen Sprüche.

Ich rieb den Schmutz weg, und plötzlich strömte weißer Rauch aus dem Schnabel der Lampe. Der Rauch wurde immer dichter, er stieg wie ein Baum in den Himmel. Es dauerte nicht lange und die Wolke formte sich zu einem Dschinn. Ich empfand Angst und Freude zugleich. Angst vor der Gewalt dieses großen Unwesens und Vorfreude auf die Erfüllung meiner Wünsche. Bald aber war die Angst der Überraschung gewichen. Denn der Dschinn setzte sich auf die Ruinenmauer und weinte bitterlich, wie ein verlassenes Kind. Ich wusste vor lauter Verwunderung nichts Vernünftiges mehr zu sagen.

›Willst du ein Bonbon, einen Schluck Wasser, eine Zigarette?‹, hörte ich mich sagen, als würde ein Fremder sprechen. Er schüttelte nur den Kopf und weinte noch lauter.

Die Gier befreite mich aus meiner Erstarrung und weckte meine Instinkte. ›Drei Wünsche habe ich schon lange‹, rief ich.

›Wünsche, Wünsche, Wünsche!‹, heulte der Dschinn. ›Alle wollen nur ihre Wünsche erfüllt haben und niemand, keiner in Tausenden von Jahrhunderten, denkt daran, auch mir einmal einen Wunsch zu erfüllen.‹

Ich war sprachlos, trotzdem heuchelte ich: ›Und wie kann ich dir helfen? Vielleicht erfülle ich dir deinen Wunsch, und dafür machst du mich glücklich und reich.‹

›Das ist ein Wort‹, sagte der Geist und hörte auf zu weinen. ›Ich bin bis in den hintersten Winkel meines Herzens in Abirjasmin verliebt. Sie ist die schönste Fee, aber sie liebt den widerwärtigen Schamhuresch, nur weil er mächtiger ist. Hilf mir bitte, rede mit ihr oder töte Schamhuresch!‹

›Warum tötest du ihn nicht selbst?‹

›So sehr wir auch prahlen – aber das kann nur ein Mensch. Sobald der Mensch körperlos wird, kann er in der Unterwelt jeden Geist besiegen. Kannst du das für mich tun?‹

›Aber wie soll ich körperlos werden?‹, fragte ich verdutzt.

›Indem du stirbst. Du musst einfach nur Selbstmord begehen, und ich begleite dich dann zu unserem Reich. Dort wirst du keine Mühe haben, Schamhuresch zu töten und mich zum glücklichen Herrscher zu machen. Dann wird mich auch meine Geliebte vergöttern‹, erklärte der Dschinn und ich konnte die Häme spüren, die aus seinen Worten triefte. Aber es war mir nicht danach zumute, den Psychiater eines Dschinns zu spielen. Es ging ja um mein Leben.

›Warum Selbstmord? Ich weiß, dass ein paar gute Fürze reichen, einen ganzen Trupp von Dschinn zu töten. Besorge mir Saubohnen, Knoblauch und etwas Zwiebel, und ich furze dir die Unterwelt zusammen.‹

›Das funktioniert nicht. Es sei denn, die Geister sind aus schlechtem Material. Ich fürchte, dass du mit deinen Fürzen eher mich und meine Geliebte als den mächtigen Schamhuresch tötest. Nein, nur mit deinem Selbstmord kannst du mir helfen. Du gehst auf Schamhuresch zu und drehst ihm den Hals um. Die Leibwächter können dich nicht daran hindern, denn sie können dich nicht sehen. Deine Seele ist für sie unsichtbar.‹

›Bist du verrückt geworden? Ich soll mich umbringen, nur um den Kuppler für dich zu spielen? Was habe ich davon?‹

›Ich bringe deinen Angehörigen so viel Gold und Juwelen, dass sie bald dein Land beherrschen. Genügt dir das?‹

›Und Samia, meine geliebte Frau, wie soll sie das verkraften?‹

›Das ist doch kein Problem. Du bringst sie einfach vorher um, dann seid ihr als Seelen wieder zusammen.‹

›Ich soll Samia umbringen. Bist du noch zu retten? Niemals! Und für nichts auf der Welt würde ich mich von ihr trennen. Du wirst mir also meine Wünsche erfüllen oder ich bringe dich wieder in dein ewiges Gefängnis‹, rief ich aufgebracht.

›Ich erfülle dir nichts und du kannst mich bestrafen wie du willst, denn mein Herz ist gebrochen und für mich gibt es keine Freiheit.‹

›Dann verfluche ich dich. Kehre zurück in die Lampe!‹, sagte ich. Ich wollte in Ruhe darüber nachdenken, wie ich diesen störrischen Esel bewegen konnte, mich glücklich zu machen, ohne dass ich mich umbringen musste.

Ich nahm die Lampe und warf einen Blick Richtung Lastwagen. Da sah ich, dass der Mechaniker inzwischen gekommen war und an meinem Lastwagen herumhantierte. Ich eilte zu ihm.

›Ich bin seit einer Stunde da und habe schon gedacht, du hättest mich reingelegt. Inzwischen habe ich die Batterie gewechselt. Nun ist alles ist in Ordnung‹, schimpfte er.

Ich beruhigte den Mann und erzählte ihm von meiner Entdeckung. Aber das war ein Fehler. Ich gebe zu, es war sogar ein großer Fehler.« Das Schlitzohr Adnan hielt einen Moment lang inne. »Soll ich weitererzählen?«

»Natürlich, erzähl weiter«, hörte ich mich im Chor mit den anderen im Innenhof rufen.

»Also gut. Der Mann lachte mich aus. Er meinte, ich hätte

in den Ruinen zu viel Haschisch geraucht. ›Und da sehe ich nicht nur Dschinn‹, rief er und schlug mir mit seiner schmutzigen Hand auf die Schulter, ›sondern auch meine fromme Schwiegermutter einen Bauchtanz nackt vorführen.‹ Der Mann lachte dreckig und fragte mich, ob ich nicht auch für ihn einen Klumpen Haschisch hätte, mit dem er seine Familie vergessen könnte. Ich wurde fürchterlich wütend.

›Probier es doch selbst, du Idiot‹, sagte ich und zog die Lampe aus der Hosentasche. Er rieb sie und erschrak sich fast zu Tode. Aber dann besiegte die Gier auch seine Angst. Er wollte sich seine Wünsche erfüllen lassen, und der Dschinn wiederholte sein Angebot mit dem Selbstmord. Und dann passierte das Unglaubliche. Der Mann stieg wie hypnotisiert in den kleinen Wagen der Werkstatt und raste mit aufheulendem Motor keine hundert Meter weit gegen eine uralte Rieseneiche. Es knallte fürchterlich und ich sah den Dschinn vor Freude strahlen. Er beugte sich über das Wrack, und bald sah ich ihn in Begleitung eines jungen Mannes gen Himmel aufsteigen.

Zurückgeblieben ist die Lampe, aber seit dem Tag ist auch sie tot. Nichts regt sich mehr, so viel man sie auch reibt.«

Adnan richtete sich auf und zog aus seiner Hosentasche eine kleine glänzende Öllampe. Die Nachbarn begutachteten sie einer nach dem anderen und rieben daran und lachten. In der Ecke sah ich Samia weinen. Es waren Freudentränen, da bin ich mir ganz sicher. Denn in jener Nacht konnte ich lange nicht einschlafen. Ich hörte bis zur Morgendämmerung Geflüster, leises Lachen und genussvolles Stöhnen aus Samias und Adnans Schlafzimmer. Wahrscheinlich hat Samia dem größten Lügner des Abends einen Preis verliehen und ihm einen Spaziergang durch das Paradies der Sinne geschenkt …

SPRICH, DAMIT ICH DICH SEHE

Ein Versuch über die Mündlichkeit in unserer Zeit. Mit den Gästen Ibn Aristo, Don Quijote und Sancho Panza

> *»Die Sprache ist die Mutter,*
> *nicht die Magd des Gedankens.«*
> Karl Kraus

Einen Vortrag von einem schriftlichen Manuskript über die *mündliche* Erzählkunst abzulesen, ist ein Widerspruch in sich. Doch es ist ein nützlicher Widerspruch. Er zeigt nämlich den Charakter unserer Zeit und die Grenzen der Mündlichkeit – wie ich noch zu erzählen haben werde.

Um mit dem bekanntesten Charakteristikum des mündlichen Erzählens anzufangen, möchte ich Ihnen sofort verraten, was ich zu tun beabsichtige: Ich möchte Ihnen meine Erfahrung mit dem mündlichen Erzählen schildern. Das macht meine Vorlesung sehr subjektiv und für manche Akademiker vielleicht auch nicht seriös genug, und als ob das nicht reichen würde, treten auch noch Don Quijote und Sancho Panza auf. Da ich aber im Rahmen einer Professur an einer Universität vor Ihnen stehe, werde ich die Vorlesung mit dem Auftritt des sehr seriösen Herrn Ibn Aristo akademisch aufpolieren. Denn er ist ein Wissenschaftler.

Ich lernte Ibn Aristo erst spät kennen. Ich war bereits Student an der Universität Damaskus. Sein Äußeres war und ist heute noch ein sehr angenehmer Anblick. Er ist ein

Asket, immer frisch rasiert, penibel sauber, mit gütigen Augen und schneeweißem Haar, und er ist immer ein wenig langweilig.

Ganz anders Don Quijote, mit dem ich seit über fünfzig Jahren befreundet bin. Und das hat eine Vorgeschichte, die aber schnell erzählt ist.

Ich verdanke meine Liebe zu Büchern, ja zur Schriftstellerei, einer ganzen Reihe von sowohl harmlosen wie auch lebensbedrohlichen Kinderkrankheiten. Manchmal berührte mich die kalte Hand des Todes und oft trieb meine Faulheit mein Fieber in die Höhe. Ich durfte nie Fußball spielen und las wie besessen alles, was ich in die Hände bekommen konnte. Es gab damals keine Kinderbücher, und so las ich alles, was in der kleinen, aber schönen Bibliothek meines Vaters stand, und lieh mir Bücher von den wenigen Nachbarn, die welche besaßen. Einer dieser Nachbarn war ein Lehrer für Französisch. Er war so groß und dürr, dass er wie eine Figur von Giacometti aussah. Er war es, der mir eine französische Übersetzung von Don Quijote mit Bildern von Gustave Doré lieh, die ich binnen zwei Wochen verschlang.

Ich habe Cervantes' geniales Werk damals nicht mit den Instrumenten eines Sprachliebhabers oder Literaturkritikers gewürdigt, sondern mit dem Instinkt eines Süchtigen. Denn ich war inzwischen süchtig nach Geschichten. So drang der erste Roman der Moderne in meine Seele und ich verinnerlichte die Abenteuer, ja den Duktus und sogar den Tonfall der beiden Protagonisten Don Quijote und Sancho Panza. Ich musste damals lange im Bett liegen. Und so führte ich Tag und Nacht unendliche Dialoge mit ihnen. Oft musste ich lachen und meine Mutter dachte, ich hätte wieder einen Fieberanfall. Don Quijote tröstete mich und half mir mit seinen unzähligen Brücken über den Abgrund meiner Schmerzen und meiner Angst vor dem Tod. Ich behaupte heute, obwohl ich nie Medizin studiert habe, dass Don Quijote zu meiner Heilung wesentlich beitrug.

Ich litt an einer bösen Lungenentzündung, Blutarmut und einer nicht vollständig geheilten Hirnhautentzündung, aber absurderweise betrachtete ich mein Kranksein als Stärke. Denn ich war sehr um eine junge Schönheit aus der Nachbarschaft bemüht und hoffte, durch das Mitleid ihr Herz zu erobern, indem ich ihr von meinem Kampf mit dem Todesengel im Traum erzählte. Sie war die Erste, die mir prophezeite, ich würde ein guter Erzähler. Ich könne ruhig wie alle Helden der Geschichten jung sterben. Sie würde dann viel um mich weinen und keinen anderen mehr heiraten. Und ich sah während meiner Fieberanfälle Don Quijote mit gesenkter Lanze an meinem Grab stehen und ich hörte Sancho Panza, diesen schlauen Bauern, nörgeln: »Was wollen wir hier bei diesem blassen Jungen?« Und Don Quijote antwortete: »Er wollte für seine schöne Geliebte die arabische Literatur retten, also halt die Schnauze, nimm deinen Hut ab und senke dein mit Stroh gefülltes Haupt.«

Die Schönheit heiratete später einen reichen Mann, aber seit damals traten die beiden Herren immer wieder bei mir auf, wenn der Zweifel an meiner Seele nagte. Der Zweifel war mein treuer Hund, und deshalb waren die Herren oft bei mir.

Einer der Gründe, warum mich sein Werk schon früh faszinierte, liegt in Cervantes' Nähe zur mündlichen Erzählkunst. Und diese Kunst kannte ich noch viel früher als den Roman, als irgendeinen Roman. Es war meine Mutter, die mir die Liebe zum gesprochenen Wort nahebrachte.

IBN ARISTO ÜBER DIE BEDEUTUNG DES GESPROCHENEN WORTES IN DER ARABISCHEN KULTUR

Wenn ich deinen Zuhörern und Lesern Folgendes grob skizzieren darf: Die arabische Kultur hat weniger eine Bild-, dafür aber eine große Erzähltradition. Und das hat nichts mit dem Islam zu tun, sondern mit der Wüste, die das Auge ruhen und dafür die Zunge aktiv werden lässt. Bereits vor der Entstehung des Islam hatten die Araber im Gegensatz zu den Griechen und Römern kaum Bilder oder Skulpturen produziert. Andererseits konnte auch der Islam nicht verhindern, dass muslimische Perser die schönsten Miniaturen der Welt produzierten. Die arabische Erzähltradition wiederum reicht bis weit vor die Entstehung des Islam zurück, und sie wirkt bis heute, weil die Wüste die mündliche Form, den Klang der Worte, und nicht die schriftliche Form fördert. So findet man kaum arabische Wörter, die schwer auszusprechen sind. Als wäre jedes Wort durch die Hände eines Komponisten gegangen, der es auf die Musikalität der Aussprache hin überprüfte. Die Abfolgen der einzelnen Buchstaben enthalten kaum Dissonanzen (etwa die Folge T-D, D-T, S-SCH, H-CH, CH-H).

Wie kaum eine andere Religion verstärkte der Islam das geschriebene Wort, aber wie in kaum einer anderen Sprache wirkte die Mündlichkeit so tief in die Schriftlichkeit hinein wie im Arabischen. Jahrhundertelang bemühte sich ein ganzes Heer von Gelehrten und Sprachwissenschaftlern darum, mit Gesetzen und Regeln für einen guten Klang und eine perfekte Aussprache zu sorgen. Und das ging nicht selten auf Kosten des Satzbaus, der Logik und der Systematik der Sprachkonstruktion.

Vielen Dank, vielen Dank. Das reicht erst mal ...

Meine Mutter war eine weise Analphabetin. Und sie war eine große Anekdotenerzählerin und Gerüchteverbreiterin. Sie lachte gerne, obwohl sie ein schweres Leben hatte, und das prägte mich wahrscheinlich schon, als ich noch in ihrem Bauch war.

Sie erzählte viel. Mein Vater dagegen war von Natur aus eher schweigsam. Er las lieber, als dass er erzählte. Aber er besaß sehr sensible Ohren. In der Sprache meiner Mutter hieß das: Seine Ohren waren tiefe Brunnen, die sich nach einem Wasserfall sehnten.

Das aber, was meine Mutter bot, war noch nicht einmal die große Erzählkunst.

Der wahren Erzählkunst begegnete ich außerhalb meiner Familie. Alte Männer und Frauen, die weder schreiben noch lesen konnten, erzählten so beeindruckend von den Helden ihrer Geschichten, dass erwachsene Männer und Frauen weinten, lachten und staunend wie Kinder zuhörten.

Dort, unter den Zuhörern sitzend, begriff ich die filigrane Beziehung zwischen dem mündlichen Erzähler und seinem Publikum. Ich spürte als Zuhörer den Respekt, den er mir entgegenbrachte. Ich konnte es noch nicht erklären, aber Liebe bedarf keiner wissenschaftlichen Erklärung.

Die erzählten Worte trugen mich auf ihren Flügeln zu fernen Kontinenten und fremden Völkern. Und wenn die Erzählung zu Ende war, kehrte ich immer wie benommen nach Hause zurück und träumte davon, eines Tages Erzähler zu werden.

Naiv, wie ich damals war, fragte ich einen Meister um Rat und hoffte, er würde mir den Weg zeigen und mir möglichst schnell ein paar gute, einfache Regeln nennen. Und sobald ich sie auswendig gelernt hätte, könnte ich zu erzählen beginnen.

Seine Antwort enttäuschte und ernüchterte mich zugleich. Aber sie war auch meine Rettung: »Du musst erst zwanzig Jahre zuhören, und dann kann deine Zunge befreit erzählen. Nur über die Ohren wird die Zunge weise«, sagte er.

Zwanzig Jahre lang hörte ich nicht nur Geschichten, ich las sie auch wie besessen. Denn die Zunge wird nicht nur über die Ohren klug. Ich lernte auch, die Geschichten schnell zu verinnerlichen. Es gab keine Vorschriften oder Lehrbücher dafür. Empirisch erlernte ich diese Kunst. Selbstverständlich erlag auch ich dem Anfängerfehler, alles auswendig zu lernen. Doch das Auswendiggelernte lässt einen Erzähler dann im Stich, wenn er überhaupt nicht damit rechnet. Man hat einen »Blackout«. Und selbst das gnädigste und höflichste Publikum gibt einem Erzähler nicht länger als drei Minuten Zeit, um die bleierne Stille zu brechen. Schafft er es nicht, ist er verloren.

Doch gut erzählen, das konnte und kann nicht jeder. Es verlangt eine gute Stimme, eine innere Neigung, eine Furchtlosigkeit vor dem Publikum, eine gute Kondition, ein enormes Durchhaltevermögen und vor allem ein gutes Gedächtnis. Und hier muss ich mit einem Vorurteil aufräumen: Ein gutes Gedächtnis – das suggeriert, man müsse für das mündliche Erzählen auswendig lernen und brauche es deshalb. Aber das ist absolut falsch. Und zugleich zeigt sich hier auch der Unterschied zwischen den Rezitatoren und den mündlichen Erzählern. Rezitation bedeutet die künstlerische und dennoch wortwörtliche Wiedergabe eines bereits geschriebenen Textes. Er verändert sich nicht, auch wenn er zum hundertsten Mal vorgetragen wird. Die Rezitation ist ein statisches System. Das mündliche Erzählen dagegen ist ein dynamisches System. Es unterliegt Veränderungen und Wandlungen.

Wozu dann das gute Gedächtnis?

Für eine noch heiklere Aufgabe. Der Erzähler muss eine Geschichte verinnerlichen. Dies wird in einer Gegenüberstellung deutlich: Ein auswendig gelernter Text wird am besten sofort wiedergegeben, und je näher der Auftritt, umso perfekter gelingt der Vortrag. Mündlich Erzähltes dagegen wird umso runder und umso spannender gewebt, je öfter erzählt wird.

IBN ARISTO ÜBER ANEIGNUNG

Mit Verlaub, darf ich kurz erklären, was das Verinnerlichen genau bedeutet?

Anders als das Auswendiglernen muss beim Aneignen eine innige Beziehung zum Gegenstand entstehen. Aneignen setzt Verstehen, Kritik- und Gestaltungsfähigkeit voraus, denn nicht selten eignen wir uns ein Kulturprodukt anders an, als sein Schöpfer, sein Produzent es sich ausgedacht hat. Ein Film, ein Text kann von zwei Menschen völlig anders angeeignet werden. Das liegt in der Natur der Aneignung.

Bezogen auf eine Geschichte heißt Aneignung nicht nur, sich den roten Faden einzuprägen, sondern die wichtigsten Ereignisse der Geschichte überzeugend zu platzieren, sodass sie entlang dieses roten Fadens liegen wie Blumentöpfe entlang einer Straße. Manche Geschichte lässt sich leicht zerlegen, manche nicht. Und nur Geschichten, die sich zerlegen lassen, kann man sich aneignen. Aus diesem Grund kannst du nicht all deine Geschichten erzählen. Ich habe es dir ja früh gesagt, aber du wolltest nicht auf mich hören. Das hat weder mit deinem Fleiß noch mit Länge und Kürze einer Geschichte zu tun, sondern lediglich damit, ob du vernünftige

Stationen für eine Reise durch die Geschichte bauen kannst oder nicht.

Auswendiglernen, eine unentbehrliche Voraussetzung für die Rezitation, hat damit nichts zu tun. Man kann jeden Text auswendig lernen, wenn man die Sprache beherrscht und ein gutes Gedächtnis hat. Viele arabische Kinder können mit zehn den Koran auswendig rezitieren, ohne auch nur einen Satz zu verstehen.

Verinnerlichen heißt, die Geschichte in sich aufzunehmen und sie mittels eigener Sätze, Ereignisse, Wendungen wiederzugeben. Die Geschichte wird sich von Mal zu Mal verändern, von Vortrag zu Vortrag reifen, aber sie wird dadurch zu seiner Geschichte. Ein guter Erzähler kann seine Geschichte auch nach dreißig Jahren noch wiedergeben. Denn sie lebt in ihm. Und das hat einen göttlichen Vorteil: Eine Erzählung ist ein Unikat und fordert den Erzähler jedes Mal heraus. Er langweilt sich also nie auf der Bühne, und das spürt sein Publikum.

Gut, vielen Dank, Ibn Aristo, aber nun zurück zu meinem Leben.

Drei Jahre lang besuchte ich ein Internat in einem libanesischen Kloster und lernte gut Französisch. Dort entdeckte ich auch die französischen Meister von Dumas bis Balzac für mich. Nach meiner Rückkehr las ich auf Arabisch und Französisch und hörte mit meiner Mutter Nacht für Nacht im Radio die Fortsetzung der Geschichten von Scheherasad, wie ich bereits erzählt habe.

Anfang der sechziger Jahre, ich war vierzehn, fünfzehn Jahre alt, stieß ich auf gute wie schlechte Übersetzungen der Weltliteratur, und zugleich lernte ich die modernen arabischen Erzähler kennen. Ich las sie mit Neugier und anfänglich mit großer Zuneigung, doch bald schon war ich enttäuscht und ihrer müde. Meine Lust schwand von Roman zu Roman dahin. Denn so miserabel die Übersetzungen der Weltliteratur – egal ob Cervantes, Tolstoi, Hemingway, Faulkner, Jack London u.a. – damals auch waren, so spannend und anziehend fand ich diese Romane. Die meisten arabischen Romane, obschon sie in bestem Arabisch geschrieben waren und mit Vertrautem hantierten, langweilten mich dagegen immer mehr. Ich wusste lange nicht, warum. Erst später fand ich die Antwort: Die Mehrheit der arabischen Romanciers ahmten die amerikanischen, französischen, englischen, spanischen oder russischen Erzähler nach. Ein Nachahmer kann seinem Vorbild bis zur Gesichtslosigkeit folgen, aber er bleibt bloß ein erbärmlicher Schatten des Erfinders.

IBN ARISTO ÜBER DIE KREATIVE NACHAHMUNG

Gestatte mir bitte eine kleine Zwischenbemerkung. Nachahmen an sich ist im Prinzip nicht negativ. Alle Dichtung ist meinem Urgroßvater Aristoteles zufolge nichts anderes als Nachahmung. Er führte die Nachahmung auf einen Trieb des Menschen zurück: durch das Nachahmen zu lernen oder auch nur zu spielen.

Doch die Dichtung wird zur Kunst, wenn sie das Nachgeahmte durch Erhöhung und Unterstreichung seiner Charaktere stark differenziert.

Mein Urgroßvater warnte vor einer bis heute beliebten Gleichsetzung von Erzählern und Historikern. Er sagte: »Der Geschichtsschreiber und der Dichter unterscheiden sich … darin, dass der eine erzählt, was geschehen ist, der andere, was geschehen könnte. Darum ist die Dichtung auch philosophischer und bedeutender als die Geschichtsschreibung.«

Schon gut, das ist zweifellos richtig, doch die Nachahmung, die ich anprangere, ist anderer Natur. Hier fügt sich der Unterlegene dem Überlegenen, in der Hoffnung, sich zu retten. Hier handelt es sich um eine sklavische und nicht um eine kreative Nachahmung. Wir wissen heute, dass der Kolonialismus eine solche Deformierung der Menschen verursacht hat, die er militärisch besiegt und ökonomisch ausgebeutet und abhängig gemacht hat. Der arabische Historiker Ibn Chaldun (1332–1406) wusste davon bereits im 14. Jahrhundert und warnte vor den Folgen der sklavischen Nachahmung.

Und ich selbst erinnere mich noch genau an die fünfziger, sechziger und siebziger Jahre in den arabischen Ländern, wo unsere Intellektuellen das Eigene lächerlich machten und alles Europäische heiligten.

Ich aber fand unsere alten Geschichten interessant. Und ich war überzeugt, dass wir zu unseren erzählerischen Wurzeln zurückkehren müssen. Nicht in romantisierender Schwärmerei, sondern um, von ihnen ausgehend, unseren Weg in die Moderne zu gestalten und damit die traditionellen Erzählweisen zu überholen. Ich war und bin überzeugt, dass ohne diesen Gang zurück zu den Ursprüngen keine vernünftige Entwicklung möglich ist.

Die große Mehrheit der arabischen Autoren nahm lieber Reißaus und unterwarf sich der europäischen Kultur. Sie wurden im Lauf der Zeit zu kleinen Balzacs, Hemingways und sehr, sehr kleinen Kafkas.

Virginia Woolf, Honoré de Balzac, Lew Tolstoi, Ernest Hemingway, Sidonie-Gabrielle Colette, William Faulkner, Franz Kafka und all die Autorinnen und Autoren, die der europäischen und der amerikanischen Literatur zu gewaltigem Fortschritt verhalfen, gingen aus einer langen Entwicklung hervor. Sie suchten eine Antwort auf die Krisen, die Kriege und die sozialen Umwälzungen ihrer Zeit. Dagegen verkauften die kolonialisierten Nachahmer ohne jede Beziehung zu ihrer Gesellschaft diese Modelle als Allheilmittel gegen den jahrhundertelangen Stillstand. Sie ähnelten einem, der hungernden Menschen einen europäischen Anzug als Lösung ihrer Probleme anbietet.

Ich aber wollte mit einer unerschrockenen Naivität einfach die arabische Erzählweise retten, sie vom Aberglauben und Untertanengeist und vom Ballast der Paläste, der Prinzen und Prinzessinnen befreien und ihr durch Aufklärung, Aufmüpfigkeit und Themen unserer Zeit frisches Blut spenden. Statt einer gestelzten, mit Schnörkeln der Künstlichkeit befrachteten Sprache, die nur wenige verstehen, wollte ich eine einfache, lebendige, poetische und moderne Sprache gebrauchen.

Ich wollte so nahe wie möglich am Mündlichen bleiben, aber die Geschichten gleichzeitig von der geschwätzigen Plauderei reinigen und mit Poesie bereichern. Unterhaltsame Literatur sollte es sein, ja, aber von großer Klasse. Ich hoffte, damit die Faszination des Mündlichen, die ich erlebt hatte, auf meine Zuhörer zu übertragen. Und heute, nach fast fünfundvierzig Jahren intensiver Erfahrung, kann ich sagen: Ich schätze mich sehr glücklich, das Mündliche in vollen Zügen genossen zu haben. Dieses Glück erfuhr ich nicht beim Schreiben und nicht beim Recherchieren und auch nicht beim Erfolg mit den Büchern, sondern allein dann, wenn ich Leuten Geschichten erzählt habe.

IBN ARISTO ERKLÄRT DAS FASZINOSUM DER MÜNDLICHKEIT

Wenn du erlaubst, es ist nicht nur bei dir so. Dem Faszinosum der Mündlichkeit waren seit den Anfängen der menschlichen Kultur der Erzähler und seine Zuhörer erlegen. Die Griechen erhoben die Fähigkeit, vor einer Ansammlung von Menschen zu reden, sogar zu einer Kunst, der »Rhetorik«. Du weißt, mein Urgroßvater hat ein schönes Werk über die Rhetorik geschrieben. Was heute die Regel ist, galt jahrhundertelang als verpönt: Unter keinen Umständen durfte ein Redner seine Rede von einem Blatt Papier ablesen.

Und von Anfang an gehörte eine zweite komplementäre Kunst dazu: das Zuhören. Das Zuhören war damals eine der wichtigsten Wissensquellen, die weder Lesen noch Schreiben voraussetzt, dafür aber die Gabe der Konzentration und des guten Gedächtnisses.

In Bezug auf das Wissen über die Geschichten erscheint es mir angebracht, auf einen kuriosen Unterschied zwischen der mündlichen und schriftlichen Erzählkunst hinzuweisen. Im Mündlichen wie im Schriftlichen hat der Erzähler mit Sicherheit mehr Wissen über das, was er erzählen will, als alle seine Zuhörer bzw. Leser. Sie mögen ihm in allen anderen Bereichen über- oder unterlegen sein, aber die Erzählung ist seine Domäne. Aber nun kam es im Schriftlichen zu einer weiteren Überlegenheit. Hier konnte sogar eine Figur der Geschichte, wie etwa ein Detektiv, ein Kommissar oder ein Agent, mehr wissen als der Leser. Das hatte es in der mündlichen Tradition nie gegeben. Mochte der Held auch göttlich sein, er wusste nicht mehr als das, was er gerade machte. Er hatte charakteristische Merkmale, die der Zuhörer erkannte, war heldenhaft, feige, großzügig, geizig, abenteuerlich oder vorsichtig, aber seine Person war für die Zuhörer klar, fast gläsern, und hatte keine Geheimnisse. Ich kann dir …

Vielen Dank. Ich weiß, du kannst eine Menge erklären, aber lass mich fortfahren.

Ich war noch nicht einmal neunzehn und glaubte arglos, dass die Wahrheit mit ihrer Logik vernünftige Menschen überzeugen kann, und ich hielt jeden, der Bücher las, für vernünftig. »Werch ein illtum!«, würde Ernst Jandl ausrufen.

Als ich meine Meinung damals in Damaskus vertrat und die versammelten Intellektuellen und Literaten eines vornehmen Literaturclubs fast bebend vor Aufregung aufforderte, die Europäer nicht länger nachzuahmen – vor Aufregung habe ich damals »Europäer nicht länger zu belästigen« gesagt –, sondern vielmehr zu den Wurzeln zurückzugehen, da erlebte ich eine böse Überraschung.

Ich weiß es noch wie heute. Es war an einem kalten Novemberabend. Die Versammlung erstarrte, als ich für meine Verweigerung, die Europäer nachzuahmen, höflich um Verständnis bat. Erst als sich die Herren von ihrem Schock erholt hatten, brach der Unmut aus ihnen heraus. Sie krähten alle durcheinander. Ein Diener führte mich höflich, aber mit eiserner Hand aus dem Saal. Im Gang hörte ich noch das Gelächter der Männer.

IBN ARISTO ÜBER DIE ARABISCHE SIPPE

Wenn du erlaubst, erkläre ich dir, was dahintersteckt. Mit ihrem Lachen suchten die Männer verzweifelt den Schutz der Gemeinschaft, nachdem du ihnen ihre Schwachstelle gezeigt und damit als Störfaktor agiert hast. Diese Art von Schutz haftet der arabischen Kultur an. Sein Ursprung ist die Sippe, die wiederum durch die Wüste entstand. Die Sippe rettete die Araber vor der Wüste und versklavte sie zugleich. Sie bietet immer Schutz, aber der Preis dafür ist die Gesichtslosigkeit des Einzelnen. Wer aus der Reihe tanzt, wird als Verräter betrachtet.

Das stimmt, vielen Dank für die Erklärung. Jedenfalls hatte irgendjemand die Anwesenden gebeten, nun die Diskussion über William Faulkner fortzusetzen. Ich war der Ohnmacht nahe. Mit bleiernen Füßen schlich ich mich ins Freie, suchte die frische Luft.

Ich setzte mich auf die eiskalten Stufen des vornehmen Hauses. Damaskus lag, was selten geschah, im Nebel. Da hörte ich den Lärm von Pferdehufen auf dem Kopfsteinpflaster, den ich aber kaum beachtete, denn damals gab es in meiner Stadt noch Kutschen. Doch plötzlich trat Don Quijote auf seinem Rocinante aus dem Nebel, und hinter ihm trippelte geräuschlos der Esel, auf dem Sancho saß.

»Weiter so, junger Ritter«, rief Don Quijote mir aus der Ferne zu.

Sancho Panza eilte herbei. »Heilige Maria, wie blass Sie aussehen«, sagte er.

»Ach, ein paar Schrammen schaden dem Tapferen nicht«, meldete sich Don Quijote zu Wort. Ich hatte keine Schrammen, aber ich war bestimmt blass vor Kälte und Wut.

Sancho verdrehte die Augen und half mir aufstehen. »Am besten gehen Sie, junger Herr, nach Hause. Eines Tages werden Sie ein glücklicher Lehrer sein und eine hübsche Familie gründen ...«

»Nach Hause?«, rief Don Quijote, fast heiser vor Aufregung. »Sein Zuhause sind die edlen Worte. Steh auf, Junge. Wer will rasten bei so viel Ungerechtigkeit?«

»Oh Herr, ich habe aber keinen Platz mehr für blaue Flecken. Lasst den Jungen nach Hause gehen ... ich meine ein Haus aus Lehm und Holz und ein Weib aus Fleisch und Blut ...«, fügte er fast flehend hinzu.

»Und fettleibig und träge das ganze Leben damit vergeuden, auf den Tod zu warten. Wie oft soll ich es noch wiederholen, Sancho, Leben ist Kampf, und dafür ist der Junge wie geschaffen. Nur ein wenig Geduld. Der Unterschied zwischen dem Mutigen und dem Feigling ist eine Minute Geduld«, rief er und gab Rocinante die Sporen. Der alte Gaul jedoch dachte nicht daran zu traben, geschweige denn zu galoppieren. Sancho wischte nervös mit den Händen über sein Hemd.

»Oh Gott, die Reise geht weiter. Seit fünfhundert Jahren kommen wir nicht zur Ruhe …« Er bestieg Rucio, seinen Esel, und bald umhüllte ihn der Nebel.

Zurück blieb ich mit der Entschlossenheit, geduldig auf dem Weg zu bleiben, den ich für mich geplant hatte.

Doch so bestechend logisch mir der Gedanke erschien, so kalt und perfekt waren meine Niederlagen. Ich stieß oft auf Ablehnung. Oft lag ich verzweifelt auf dem Boden und rief Don Quijote um Hilfe, doch der Alte kam und ging, wann es ihm passte. Dennoch erfuhr ich, welchen Nutzen es mir brachte, mit ihm verbunden zu sein, und mit der Zeit war es mir nach Niederlagen leichter ums Herz, wenn ich Don Quijotes Namen rief.

IBN ARISTO ÜBER DIE ÜBUNG

Wir wollen nicht länger bei deinen sentimentalen Erinnerungen weilen. Du hast dich in dieser Zeit, von 1964 bis 1970, neben Schule und Universität, in der Kunst der Textverinnerlichung und Wiedergabe geübt. Und zwar, wenn ich erinnern darf, täglich. Du übtest erst mit kleinen Stücken. Du hast es mit kleinen Sprachflüssen aufgenommen, immer in der Nähe des rettenden Ufers, und dann hast du dich an eigene und an fremde Texte herangewagt, deren Fluss den Vergleich mit dem Rhein nicht zu scheuen braucht. Über Jahre hast du dich an den Flüssen geübt, bevor du deine erste Seefahrt gewagt hast. Und heute kannst und darfst du dich, ohne Bescheidenheit zu heucheln, schon als Kapitän eines Ozeandampfers bezeichnen.

Schon gut, das rührt mich sehr, aber ich möchte doch fortfahren.

Nach einem Erlebnis beim Zensor, einem äußerst höflichen Mann, musste ich das Land verlassen. Der Zensor hatte eine meiner Geschichten auf die Hälfte reduziert. Beim Hinausgehen warf ich die Blätter in den Papierkorb, da sie nicht mehr meine Geschichte enthielten, sondern die des Zensors.

Als ich an jenem Abend sagte, ich würde Niederlagen wie andere Leute Briefmarken sammeln, lachte Don Quijote Tränen. »Dann musst du das Land verlassen. Zieh hinaus, die Fremde ist nicht selten gnädiger als die Heimat. Wäre ich der Don Quijote geworden, wenn ich nicht meine geliebte La Mancha verlassen hätte? Geh, mein Junge, und denk daran, wo immer du bist, ich bin in deiner Nähe«, schloss er pathetisch.

»Aber der Junge will nach Deutschland, und dort ist es kalt ...«, jammerte Sancho. Doch Don Quijote beachtete ihn nicht. Und als ich ihm mitteilte, dass ich mich am nächsten Tag mit einer Ohrfeige gehörig vom Literaturclub verabschieden wollte, war er höchst zufrieden.

»Junge, du machst dich schon«, sagte er. Sancho verdrehte nur das rechte Auge. Das linke war so geschwollen und blutunterlaufen, dass er es nicht verdrehen konnte.

Und als hätte mich der Teufel geritten, ging ich tatsächlich am nächsten Tag in den Literaturclub. Ein kleines Plakat an der Tür kündigte »Hemingway« als Thema des Abends an. Die Männer glotzen mich an, in ihren Augen sah ich ihre Unsicherheit, als erwarteten sie meine Ohrfeige, und sie kam. Ich stand auf.

»Meine Herren«, sagte ich in die knisternde Stille hinein, »ich verlasse meine geliebte Stadt Damaskus und kehre erst zurück, wenn ich schlechtere Literaten als euch getroffen habe.«

Totenstille für einen Augenblick, dann folgte Gelächter. Der Clubpräsident, ein Schwager unseres damaligen Verteidigungsministers, winkte den Saaldiener herbei, doch bevor der große Mann mich anfassen konnte, war ich schon auf dem Weg hinaus.

IBN ARISTO ÜBER EIN PAAR GRUNDSÄTZE DER MÜNDLICHEN ERZÄHLUNG

Und während du den Koffer packst, nach Beirut verschwindest, dort drei Monate auf die Zulassung an einer Universität wartest, nach Heidelberg kommst, da für Jahre verstummst und dich nur langsam erholst, die deutsche Sprache schnell lernst und Chemie studierst, würde ich gerne ein paar grundsätzliche Gedanken zu Mündlichkeit und Schriftlichkeit nahebringen.

Die Kunst des mündlichen Erzählens ist uralt, Jahrtausende alt. Man trug Gedichte, Märchen, Legenden, Sprichwörter, Satiren, religiöse und politische Reden vor. Literatur aber ist mit dem Buchstaben, mit »littera« verbunden. Und es klingt mitleidig, von oraler Literatur, von mündlicher Literatur zu sprechen. Auch wenn klar ist, was gemeint ist, so ist der Ausdruck doch ebenso falsch, wie wenn wir von mündlicher Schrift sprechen würden.

Die Beziehung zwischen dem Mündlichen und dem Schriftlichen ist kompliziert, da wir alle in einer schriftlichen Kultur leben und denken und keinen Einblick in die reinen mündlichen Kulturen haben. Deshalb ist es uns nicht möglich, einfach zu verstehen, wie die mündliche Denkweise und Kommunikation funktionierte. Wir können Spuren davon in den Sagen und alten Dichtungen der Welt wiederfinden, doch oft neigen wir dazu, das Mündliche quasi als Vorstufe des Schriftlichen zu sehen, und damit nehmen wir automatisch eine Herabsetzung vor.

Die Schrift konserviert andererseits nur das, was sie mit den Buchstaben ausdrücken kann. Wir können beispielsweise im Deutschen nicht die arabischen Buchstaben ض، ظ، ق،ح، ع konservieren und im Arabischen weder P noch W noch E noch O aufnehmen bzw. wiedergeben. Wir behelfen uns mit Annäherungen und verändern das Gesprochene. Und so wie in diesen Mikrobeispielen verhält es sich auch in Makrobeispielen. Das Mündliche verliert bzw. verändert sich bei der schriftlichen Fixierung deutlich, so wie die Brüder Grimm verdienstvollerweise vieles an Erzählgut gerettet, aber zugleich verändert haben.

Natürlich bildete und entwickelte sich die Sprache erst in mündlicher Form. Man könnte es anders formulieren: Der Mensch hat die Sprache erfunden, und sie hat aus ihm ein Kulturwesen gemacht. Mit der gesprochenen Sprache beschrieb der Mensch seine Umwelt, identifizierte sie, gab ihr Namen. Man schätzt das Alter der menschlichen Kultur auf fünfzig- bis sechzigtausend Jahre. Die älteste Schrift ist jedoch nicht älter als sechstausend Jahre. Es gibt keine eindeutigen Belege dafür, weshalb der Mensch anfing, etwas niederzuschreiben. Man geht davon aus, dass die mündliche Überlieferung in Jäger- und Sammlergesellschaften zentral war. Die ersten Versuche, das Gemeinte schriftlich festzuhalten, stellten wahrscheinlich die Piktogramme dar, die sich mit Handel, mit der Menge von Waren beschäftigten. Die These, das Schriftliche habe mit der systematischen Bewässerung angefangen, klingt logisch, denn von diesem Moment an war der Handel mit Waren in großem Maß möglich. Im Orient, Wiege der Schriften, gibt es nur große Flüsse (Euphrat, Tigris, Nil). Deren Nutzung konnte nur von den Kommunen und vom Staat schriftlich geregelt werden, und das führte später zum alles besitzenden Zentralstaat.

Die Schrift, wie wir sie heute kennen, ist also nur eine Form der Konservierung der Sprache. Bilder, CDs, elektronische Daten usw. sind andere Formen.

Und interessant ist, dass von den 6500 Sprachen, die heute noch existieren, nur ein paar Hundert eine Schrift besitzen.

Die Schrift ist ein Sieg des Visuellen über die Akustik des Wortes. Die Schrift fixiert die Sprache und »setzt andere Operationen im Gehirn in Gang als die orale Kommunikation«, wie Silvio Vietta schreibt. »Das Gehirn muss für die Schriftzeichen ein eigenes Archiv anlegen, mit dem und in dem es dann operieren kann. Es entsteht ein neuer Raum mentaler Objekte, die über Schriftzeichen fixiert, mitgeteilt, ausgetauscht werden können. Erst mit der Schriftkultur als eigene Form der Kommunikation und des Verstehens der Welt beginnt so eine neue, vor allem über die abstrakten Schriftzeichen generierte und vermittelte Kultur der Schrift. Diese Kultur der Schrift eröffnet nun aus sich heraus einen neuen Reichtum mentaler Objekte, sie regt geistige Prozesse an, wird so selbst zur Grundlage einer neuen geistigen Kultur oder Kultur des Geistes.«

Sicher ist unsere Zivilisation undenkbar ohne die Schrift, die das menschliche Denken speicherte, ordnete, seiner Sprache mit logischen Regeln der Grammatik einen soliden Bau schenkte, sie durch diese Regeln klarer und präziser machte …

Die Schrift degradiert aber das gesprochene Wort als Ausdruck der Wahrnehmung und verweist es auf den zweiten Platz der Hierarchie.

Das war aber nicht immer so. Sokrates und Platon standen der Schrift skeptisch gegenüber. Platon hielt das gesprochene Wort für das Original, während die Schrift nur ein Abbild sein kann. Auch viele andere Philosophen fürchteten, dass die Schrift die Gefahr der Vergesslichkeit berge. Durch das externe Speichermedium würde das Gedächtnis vernachlässigt und somit bereits erworbenes Wissen vergessen.

In einem von Platon überlieferten Dialog zwischen Phaidros und Sokrates erzählt dieser einen (erfundenen) Mythos über die Entstehung der Schrift. Demnach brachte der ägyptische Gott Theut dem König Thamus neben Mathematik und Sternkunde auch die Schrift bei und versuchte, dem König diese Gabe als Geschenk darzustellen, das die Ägypter klüger mache und ihr Gedächtnis verbessere. Doch König Thamus lehnte es ab mit den Worten: »Diese Erfindung wird in den Seelen derer, die sie erlernen, Vergesslichkeit bewirken, weil sie ihr Gedächtnis nicht mehr üben; denn im Vertrauen auf Geschriebenes lassen sie sich von außen erinnern durch fremde Zeichen, nicht von innen heraus durch sich selbst. Also hast du ein Mittel nicht für das Gedächtnis, sondern eines für die Erinnerung gefunden. Was aber das Wissen angeht, so verschaffst du den Schülern nur den Schein davon, nicht wirkliches Wissen.«

Mit Sicherheit gab es eine Übergangszeit, in der beide Formen nebeneinander existieren konnten. Das heißt, solange die Schriften Handschriften waren, animierten sie zum lauten Vortrag. Und jahrhundertelang galt das Geschriebene als Anhängsel des gesprochenen Wortes.

*Die Schrift galt ohne Zeugen als unzuverlässig. Im Islam galt der Inhalt (*matn*) eines geschriebenen Wortes des Propheten Muhammad (*hadith*) nur, wenn es genügend Zeugen (*isnad*) nachwies. Die chronologisch aufgebaute, häufig sehr lange Liste der – nicht selten bis vierzig – Namen der Überlieferer wurde dem Inhalt vorangestellt. Sie vermittelte Kontinuität der Beweise bis zurück in die Zeit des Propheten. Das* *letzte Glied der Kette musste immer ein Gefährte des Propheten sein, der dann als Erster die prophetische Aussage bezeugt. Ein Hadith mit wenig Zeugen gilt als schwach.*

Auch in Europa wurden im Mittelalter Geschäftsbücher laut vorgelesen, um allen zu versichern, dass die Eintragung vertrauenswürdig sei. Das Wort für Buchüberprüfung hieß »Audit« (lat. audire, hören) und das bedeutet so viel wie Anhörung.

Aber spätestens mit dem Einzug des Buchdrucks im 15. Jahrhundert und der Verbreitung der klaren Druckschrift wurde das Lesen immer leiser, bis es völlig verstummte.

Vergleicht man die Körperhaltungen, so sieht man, dass der Körper beim Schreiben und Lesen das Blatt Papier, das Buch mehr oder weniger umschließt. Manchmal sehe ich dabei das Bild eines Erwachsenen, der ein kleines Kind in den Händen hält, anschaut, anlacht und kitzelt. Beim Erzählen dagegen öffnet sich der Körper und streckt die Hände von sich wie ein Baum seine Äste. Mancher Erzähler kann nicht gut erzählen, wenn seine Hände nicht frei sind.

Zudem baut das Bewusstsein bei der mündlichen Wiedergabe auf das Hören, beim Lesen auf das Sehen. Und heute ist man sich in der Wissenschaft sicher: »Hören ist die Sinneswahrnehmung, die am tiefsten ins Innere eindringt.«

Wir bilden uns oft ein, dass Sprache und Schrift das Gleiche darstellen oder auch sind, oder dass die Schrift die Haupterscheinungsform der Sprache ist, aber das ist falsch. Und genauso unterscheiden sich die mündliche Erzählkunst und ihre schriftliche Schwester.

Nun reicht es für eine Weile, lieber Ibn Aristo. Wenn du erlaubst, setze ich meine Geschichte fort.

Ich hatte keine Vorstellung, was es bedeutet, von einer Mauer des Schweigens umgeben zu sein. Da Informationen über die Arbeitsbedingungen der Emigranten- und Exilautoren nur spärlich zu uns gelangten und oft, wie bei Khalil Gibran, romantisch verklärt waren, war ich so naiv zu denken, ich könnte meine Literatur von Europa aus veröffentlichen. Das war für mich der erste große Schock im Exil: Kein einziger arabischer Verleger wollte mit mir zusammenarbeiten. Gnädig und zivilisiert war, wer heuchelnd antwortete. Aber die große Mehrheit der Verlage antwortete nicht einmal.

Manchmal schien es mir schwerer, Träume zu begraben als die eigenen Kinder.

Also beschloss ich, auf Deutsch zu schreiben. Ich lernte das literarische Deutsch, indem ich Meister der deutschen Sprache oder wunderbare Übersetzungen der Weltliteratur auf Deutsch studierte und ganze Romane per Hand abschrieb. Ich las Thomas Mann und Kafka, Dürrenmatt und Max Frisch, Peter Bichsel, Márquez und die Bibel. Vor allem liebte ich Satiren, vielleicht weil ich mich mit der Bitterkeit anderer zu trösten versuchte. Ich las Kurt Tucholsky, Heinrich Heine, Oskar Panizza und eben Miguel de Cervantes' »Don Quijote«. Und ich lachte Tränen über die köstlichen Dialoge zwischen Don Quijote und Sancho Panza. Wenn ich jemals eine grenzenlose Ermutigung erfuhr, so durch Don Quijote, und deshalb las ich ihn gierig, suchte ihn als Vorbild für einen Kämpfer auf verlorenem Posten. Und Sancho Panza hatte Sorge um meinen Verstand, sagte es aber zunächst nicht offen.

»Ich verstehe Sie, oh junger Herr, nicht. Warum suchen Sie die Unruhe. Sie sollten lieber das vornehme Studium abschließen, sich ein schönes Weib suchen, zehn, zwölf Kinder zeugen, sie allabendlich bei Tisch versammeln und betrachten – und sich wie ein Gott fühlen.«

»Das ist ein dummes Geschwätz. Nicht einmal für Dulcinea del Toboso wollte ich bleiben. Draußen ruft die Gerechtigkeit: ›Oh edler Ritter, lass mich gelten!‹ Sancho, du verstehst nicht, der junge Herr ist, wie ich, im Haus der Unruhe geboren und in der Unrast wohnhaft. Er soll eine Geliebte nehmen, deren Schönheit wie die meiner Dulcinea ans Überirdische grenzt ... ihre Haarflechten sind gülden, ihre Stirn elysische Felder, ihre Brauen Regenbogen, ihre Augen Sonnen, ihre Wangen Rosen, ihre Lippen Korallen. Perlen ihre Zähne, Alabaster ihr Hals, Marmor ihr Busen, Elfenbein ihre Hände ...«

Sancho lachte. »Glauben Sie ihm kein Wort, Herr, der Ritter von der traurigen Gestalt traf Dulcinea nicht und wird sie bis zum Ende seines Lebens nicht treffen. Ich aber kenne sie gut. Beim Stangenwerfen schleudert sie das Eisen so weit wie der kräftigste Bursche im Dorf ... Die fürchtet weder Tod noch Teufel und zieht jeden Ritter aus der Tinte ... Heilige Hurenschande, so ein strammes Ding ... sie hat ...« Und er machte die Frau zu einem Herkules mit Haaren auf den Zähnen.

Bald verschwanden die beiden wieder, und ich begann zu schreiben und zu erzählen. Ich erzählte in Studentenkreisen und merkte an einem Abend in Heidelberg, dass erzählte Geschichten viel intensiver wirken als vorgelesene. Nun, um allen Missverständnissen vorzubeugen: Nichts liegt mir ferner, als zu behaupten, diese oder jene Erzählweise sei besser. Mir ist wichtig, die Differenz und die dadurch erzielbare Bereicherung zu zeigen. Überhaupt macht die Differenz es möglich, dass das Resultat der kulturellen Begegnung und Befruchtung bei zwei in Berührung gekommenen Kulturen immer größer als die arithmetische Summe beider Kulturen ist. Das gilt sowohl im individuellen Mikrokosmos als auch im gesellschaftlichen Makrokosmos.

IBN ARISTO ÜBER DIE MÜNDLICHE UND SCHRIFTLICHE ERZÄHLWEISE

Entschuldige bitte, wenn ich mich wieder einmische, aber mir ist auch die Differenz wichtiger als die Gleichheit. Differenz führt zum Dialog, zur Bereicherung. Ich möchte daher die Differenz zwischen dem Mündlichen und dem Schriftlichen etwas unter die Lupe nehmen.

Das Mündliche folgt selten einer linearen Erzählweise, die einen Höhepunkt ansteuert, nur um dann auf der anderen Seite der Pyramide langsam zur Lösung (Krimi) oder zur Katastrophe (Drama) abzusteigen. Die Struktur einer schriftlichen Erzählung hat mit der Logik und Rationalität des Schreibens zu tun und ist mit dem Ordnung-Schaffen im Geschriebenen eng verbunden.

Schreiben verfolgt von Anfang an ein Ziel. Und man erreicht ein Ziel am besten auf dem kürzesten Weg einer Geraden, aber auch kurvenreichere Varianten gehören noch dazu. Natürlich gab es in der Moderne und der Postmoderne Experimente, die die Linearität verließen und unter dem Einfluss vieler Weltkulturen, die nun in die Metropolen hineinströmten, mutig neue Wege beschritten, aber bald ging die Flut zurück, und das Vertraute war wieder auf dem Vormarsch. Heute hat ein postmoderner Roman keine Chance.

Der mündliche Erzähler im vorschriftlichen Zeitalter fühlte weniger die Verpflichtung, einem Schema mit Anfang – Höhepunkt – Ende zu folgen, für ihn war vielmehr der Augenblick das Wichtigste. Er war wie ein Sänger immer nur seinem Publikum verpflichtet. Eine merkwürdige Symbiose zwischen Erzähler und Zuhörern entsteht. Der Erzähler ist der Verführer der Zuhörer und zugleich wird er von ihnen verführt. Er weiß, dass die Aufnahmefähigkeit und -bereitschaft Voraussetzungen für das Gelingen seiner Erzählung sind. Hier liegt auch eine Gefahr, genauer gesagt eine doppelte Gefahr: einmal am Zuhörer vorbeizuerzählen und einmal ihm nach dem Munde zu reden. Oft beobachte ich, dass die Abschnitte, die spontan eine große Begeisterung, eine Stimmung erzeugen, bei genauer Prüfung literarisch nicht standhalten.

Immer wieder stelle ich auch fest, dass Abschnitte eines Romans oder eine Geschichte, die bei einem Publikum wenig Stimmung erzeugen, bei einem anderen große Begeisterung auslösen. Das hängt nicht nur vom Publikum, sondern auch vom Erzähler und der Erzählsituation ab. Das aber befreit den Erzähler von allzu großen Rücksichten. Er verdankt den Zuhörern seinen Erfolg, aber er ist ihnen nicht verpflichtet. Im Gegenteil, je mehr er auf Figuren, Stil, Aufbau und Spannung der Geschichte achtet, umso begeisterter wird sein Publikum sein.

Das Anliegen aller mündlichen Erzähler war seit Urzeiten, sofort mit dem Publikum ins Geschehen zu gelangen. Und nicht selten wird die ganze Geschichte gleich am Anfang verraten. Aber eigentlich verrät man gar nichts, denn Geschichten haben seit Menschengedenken die gleichen Themen, sei es nun Mord, Liebe, Hunger, Lust, Betrug, Rettung, Hoffnung oder Zweifel. Es kommt den Zuhörern auf die Variationen an. Der Erzähler treibt die Geschichte voran, verweilt bei einem Gegenstand, einem Geschehen, schweift aus, kehrt zurück oder beginnt, kurz vor dem Ende einer Geschichte, mit einer anderen. Auf diese Weise verschachtelt er seine Geschichten – sie sind tatsächlich wie Schachteln, die man öffnet, um andere Schachteln darin zu entdecken, und dann kehrt man wieder zur bereits geöffneten Schachtel zurück und betrachtet ihren Inhalt. Auch der oft gebrauchte Begriff vom Geschichten-We-

ben ist dienlich. Der Erzähler folgt beim Weben eines Erzählteppichs einem roten Ornament, wechselt dann zu einem grünen, kehrt für eine Weile zum ersten zurück, wechselt dann zu einem gelben Ornament, kehrt zum grünen zurück und von dort wieder zum roten.

Mündliches Erzählen kann auch mit einem Mosaikgemälde verglichen werden. Hunderte, ja Tausende von bunten Steinchen setzen das ganze Bild zusammen, aber jedes Steinchen für sich ist eine in sich geschlossene Geschichte, die in Fortsetzungen in ähnlichen Farben an einer anderen Stelle wieder aufgegriffen werden kann. Sie alle aber sind miteinander durch Mörtel verbunden.

Lieber Ibn Aristo, nichts für ungut. Ich verspreche dir aber, diesen Punkt nicht zu vergessen. Ich werde über die Spuren der Mündlichkeit sprechen, die all meine literarischen Arbeiten, fast alle Arbeiten der guten arabischen Erzähler prägen. Und genau dieser Charakter der Mündlichkeit in der arabischen Literatur wurde bei der Übertragung in die deutsche Sprache sträflicherweise zensiert, was zu einer Kastrierung der Romane und zu ihrem Scheitern führte. Ich verspreche, darüber noch zu reden, aber lass mich bitte nun weiter von meinem Leben als Erzähler im Exil berichten.

Mein anfängliches Unglück, nämlich keinen einzigen arabischen Verleger zu finden, der Interesse an meinen Texten gezeigt hätte, brachte mir unfreiwillig ein seltsames Glück: Ich schrieb meine Geschichten und Romane direkt auf Deutsch und erhielt ihren mündlichen Charakter, so gut es mir und der erzählten Geschichte möglich war. Und das sollte später bezeichnend werden für meinen Stil. So sind die meisten meiner Kurzgeschichten, meiner magischen Geschichten und Märchen, meiner Romane und Satiren kleine und große Teppiche. Für den großen Roman »Die dunkle Seite der Liebe« baute ich ein Mosaikbild mit 304 Steinen, sprich Geschichten. Ich habe mich nach langer Suche für die Mosaiktechnik entschieden, weil sie Pausen erlaubt und brüchig ist wie die hundertzehn Jahre der Familiensaga, wie jede Biographie meiner Generation. Wie bei keinem anderen meiner Bücher bin ich zutiefst dankbar, dass dieser tausendseitige Roman bei den Lesern und Kritikern in Deutschland, in Amerika, in Großbritannien, in Spanien, Griechenland, Italien, Schweden und weiteren Ländern so gut angekommen ist.

IBN ARISTO ÜBER DEN UNTERSCHIED ZWISCHEN DEM MÜNDLICHEN UND SCHRIFTLICHEN ERZÄHLEN

Meinetwegen, ruhe dich ein wenig auf deinen Lorbeeren aus und suhle dich in Dankbarkeit. Ich muss weiterarbeiten und noch zu Ende erzählen. Wo war ich stehen geblieben? Ja, genau, Mosaikbild oder Teppich. Aber die Geschichten bleiben zweidimensional. Die Protagonisten, auch Sindbad oder Odysseus, bleiben ohne psychologische Tiefe. Wir mögen sie dafür, was sie tun, wir bewundern sie, aber so viel wissen wir eigentlich nicht über sie. Sie handeln, und wir erkennen die Persönlichkeit anhand ihres Handelns.

Ein kleines Werk von Dürrenmatt (um nicht Kafka zu bemühen) wie »Die Panne« hat mehr psychologische Tiefe als die ganze »Odyssee« plus »Tausendundeine Nacht«, oder, um es korrekter zu sagen: lesbare psychologische Handlung. Im Mündlichen bleibt das Psychische eher im Hintergrund, aber es verschwindet nicht.

Doch effektiver als dieser Vergleich eines Schweizers mit einem alten Griechen oder Araber ist mit Sicherheit der Vergleich der vor- und nachschriftlichen Erzähltradition innerhalb einer Gesellschaft. Auch dafür wird man reichlich Bei-

spiele finden: Alle handelnden Personen bei Homer sind flach und ohne bedeutende psychische Tiefe verglichen etwa mit Sophokles' »Ödipus«.

Lieber Ibn Aristo, es gibt aber noch einen radikaleren Unterschied zwischen Mündlichkeit und Schriftlichkeit. Das Mündliche lebt vom Augenblick seiner Geburt, das Schriftliche muss unabhängig davon sein.

Ein gesprochenes Wort kann Laut für Laut durch die Buchstaben der Schrift eingefangen sein, aber es ist nicht das Gleiche. Das gesprochene Wort lebt von der Stimme des Sprechenden, von der Atmosphäre, in der es gesagt wird, und vom Anlass, kurz: von der Authentizität. Es ist ein sensibles Wesen. Es bedarf vieler Hilfsmittel, um im Augenblick seiner Geburt zu wirken.

Geschrieben verliert das Wort all diese tragenden Elemente. Es steht fast nackt da und muss sich behaupten, etwas bedeuten.

Das geschriebene Wort ist so unabhängig vom Augenblick seiner Geburt, dass es auch nach dem Tod seines Schreibers wirken kann, ja wir lesen heute mehr von toten als lebenden Autoren.

Im Gegensatz zum Mündlichen hat das Schriftliche nicht so viele Hilfsmittel, um Stimmung und Atmosphäre zum Ausdruck zu bringen oder zu erzeugen. Kursiv, fett, Komma, Punkt, Doppelpunkt, Ausrufe- und Fragezeichen.

Oft greifen die Schriftsteller in die Trickkiste, um dem Mündlichen nahe zu kommen. Ihre Geschichte fängt damit an, dass ein Erzähler dem Schriftsteller all das erzählt hat, was passieren wird, und dass diese Zeilen, Seiten oder ganze Bände quasi ein ehrliches Protokoll der mündlich vorgetragenen Geschichte seien. Hier spricht also ein mündlicher Erzähler (via Autor, der sich als Protokollant vollkommen ausradiert hat) scheinbar direkt zum Leser. Damit entsteht so etwas wie Unmittelbarkeit. Auch die Form der Debatte ist seit Platon beliebt. Das berühmte Symposion ist nichts anderes als das Protokoll eines angeblichen Trinkgelages, an dem Sokrates, Aristophanes, Phaidros und Alkibiades teilgenommen haben.

IBN ARISTO

Entschuldige bitte, wenn ich dich unterbreche! Ich muss sagen, du hast die Unterschiede einigermaßen verstanden. Und ich kann nur bestätigen, dass Stimme, Gestik, Mimik und die Aufnahme durch das Publikum den gesprochenen Worten eine Atmosphäre schenken, die in der schriftlichen Form nur die Poesie nachahmen kann. Und selbst dort, in der Poesie, kommt die Atmosphäre nur durch die Vorstellung eines mündlichen Vortrags zustande. Auch ein absoluter Büchernarr kann ein Gedicht nicht allein mit den Augen genießen, sondern mittels der Vorstellung des Klanges seiner Worte, was wir etwa beim wissenschaftlichen Lesen überhaupt nicht brauchen. Woher kommt das aber? Die Antwort ist nicht schwer:

Das Mündliche verfolgt das Ziel, die Zuhörer zu informieren und/oder zu überzeugen. Die Rede will in erster Linie Meinungen bilden, Meinungen ändern oder auch ein Handeln bewirken. Und wir wissen, dass das gesprochene Wort für die Motivation sowie bei emotionalem und auch rationalem Handeln eine entscheidende Rolle spielt. Liebe, Erziehung, Krieg und Revolutionen wären undenkbar ohne das gesprochene Wort, aber sie waren wohl möglich ohne Schrift.

Entschuldige bitte, Ibn Aristo, du zwingst mich durch deine maßlose Übertreibung, den Advocatus Diaboli zu spielen, darum sage ich: Ohne Schrift wäre unsere Zivilisation nicht möglich, ohne Schrift wäre keine Religion von

Dauer, auch deshalb verschwanden alle vorschriftlichen Religionen. Es gilt als sicher, dass Bibel, Evangelium und Koran lange mündlich vorgetragen worden waren, bevor sie schriftlich festgelegt wurden. Also herrschte in der mündlichen Überlieferung das mythologische Bewusstsein, während die Schrift vom theologischen Bewusstsein dominiert wurde. Ihre schriftliche Fixierung machte sie zur dauerhaften Religion. Und es ist kein Zufall, dass der Islam ausdrücklich Respekt jenen Religionen zollt, die ein »heiliges« Buch besitzen.

Der Klang umgibt die Zuhörer und führt eher zu einem ganzheitlichen Bewusstsein. Sehen erregt die Neugier des Sehenden auf die Welt und fördert eher sein forschendes Bewusstsein. In den vorschriftlichen Gesellschaften lebte man auf engstem Raum. Man kannte keine Privatheit, auch nicht für die Sexualität. Das Alleinsein war verpönt, und wer sich zurückzog, galt als anormal, als wahnsinnig oder besessen. Die Stille der Einsamkeit, Voraussetzung für Erfindung, Nachdenken und Philosophie, war erst in Gesellschaften anerkannt, die die Schrift kannten.

Eine weitere Entwicklung war, dass die Schrift in jeder Sprache einen Dialekt zur Hochsprache erhoben, mit Regeln, Ge- und Verboten versehen und zum Sieger gegen alle anderen Dialekte erklärt hat. Und nicht selten wurde er dadurch entwurzelt, dann aber mit neuen Ausdrücken hundertfach reicher gemacht. Dieser Prozess zeigt, wie stark Schrift oder Verschriftlichung unsere Zivilisation verändert hat.

Das geschriebene Wort hält das Gesagte präzise fest, ohne die Atmosphäre, die der mündliche Vortrag erzeugt, mitzutransportieren. Ich habe drei mündlich gehaltene Reden von berühmten arabischen Rednern analysiert, die charismatische Ausstrahlung und damit Tausende, ja Millionen von Menschen spontan bewegt hatten. Es sind der berühmte ägyptische Präsident Nasser, der allseits bekannte Yassir Arafat und Nayef Hawatme, ein hier in Europa wenig bekannter Marxist-Leninist, dessen Organisation in den siebziger und achtziger Jahren im Nahostkonflikt durch gewagte Thesen und Vorschläge zur Lösung des Palästinakonflikts eine große Rolle gespielt hat. Alle drei mit Tonband aufgenommenen Reden verloren ihren Glanz, als ich sie mir noch einmal in schriftlicher Form (wortwörtliche Abschrift) zu Gemüte führte. So politisch verschieden die Inhalte auch waren, sie hätten, unabhängig von meiner Sympathie und Antipathie, jeweils auf ein Zehntel des Volumens reduziert werden können. So wirkten sie durch viele Redundanzen und ein Chaos von unzähligen Abschweifungen breitgetreten in der Form. Das reicht, um zu zeigen, welche Wirkung solche Reden haben können.

IBN ARISTO

Und damit, so sagt man, sei auch bewiesen, dass das Schriftliche anspruchsvoller, schwieriger sei als das Mündliche. Das ist aber eine falsche Konsequenz, weil man im Schriftlichen immer noch die Gnade der Korrektur hat. Man kann einen Text so oft korrigieren, umformulieren, schleifen, bis man der Meinung ist, nun entspreche er genau dem, was man sagen will. Jeden Satz dieses Vortrags hast du, wie ich vermute, bestimmt sieben- oder zehnmal gelesen, korrigiert, umformuliert, manchmal auch völlig neu geschrieben. Auch hat deine tüchtige Mitarbeiterin und Lektorin alle Fehler daran weggeschliffen, die einem in der Sprache nicht geborenen ausländischen Autor unterlaufen. Das ist zwar Arbeit, aber sie ist machbar. Im Mündlichen ist diese Möglichkeit nicht gegeben. Ein einmal gesprochenes Wort ist nicht mehr zurückzuneh-

men oder zu korrigieren. Stell dir einen Redner vor, der jeden Satz siebenmal umformuliert und dann fortfährt, um gleich darauf dem Publikum mitzuteilen, dass der erste Teil seiner Rede nun doch zum Ende hin geschoben wird, dafür habe er zwei Absätze als Anfang der Rede besser gefunden, die er nun, gestützt auf das phänomenale Gedächtnis des Publikums, vortragen wolle. Ich übertreibe nicht, wenn ich sage, bei diesem Verfahren wäre die Hälfte der Zuhörer weggelaufen.

Entschuldige bitte, lieber Ibn Aristo, lass mich weitererzählen, bevor wir beide durch deine ausgezeichneten, wissenschaftlich unentbehrlichen Erklärungen dem Publikum entbehrlich werden.

Meine Voraussetzungen im Exil waren: viele Geschichten im Herzen und passable Deutschkenntnisse als Ausrüstung im Kopf und auf der Zunge, wenig Geld in der Tasche, gar keine Lobby und Feinde so weit das Auge reicht. Ein arabischer Diktaturgegner ist im deutschen Exil auf vielfache Weise isoliert. Aber das ist nicht schlimm, es ist vielmehr Anlass, noch besser zu schreiben und zu erzählen, weil man in der Isolation niemandem etwas schuldet. Man nimmt keine Rücksichten, atmet frei und erkundet seinen Weg, Schritt für Schritt, tastet sich vorsichtig wie ein Barfüßiger über den Boden in einer dunklen Nacht.

Ich gab meine lukrative Stelle bei einem großen Pharmakonzern auf, denn ich wusste die Größe meiner erzählerischen Aufgabe nüchtern und richtig einzuschätzen und begriff, dass sie nicht nebenbei bewältigt werden konnte. Ein Damaszener Sprichwort sagt: *Man kann nicht zwei Wassermelonen in einer Hand tragen.*

Ich nahm jede Lesung an. Bis zu 180 Lesungen im Jahr, manchmal mit nicht mehr als fünf Personen. Natürlich war das bitter, an einem eiskalten Tag mit einem rostigen VW

Käfer von Heidelberg nach Hannover, Hamburg, Berlin oder München zu fahren und vor fünf Leuten aufzutreten.

Manchmal gaben die Buchhändler mir im Voraus Bescheid, sehr lieb und fürsorglich, weil sie Angst hatten, dass ich sonst beim Auftritt böse überrascht würde.

Eines Abends war ich wirklich verzweifelt. Ein Buchhändler hatte mir kurz nach meiner Ankunft am Telefon gesagt, dass außer ihm und seiner Frau nur drei Zuhörerinnen Interesse gezeigt hätten. Ich saß in einem scheußlichen Hotelzimmer auf der Bettkante, schaute meinen kleinen Koffer an und war den Tränen nahe.

Da schmolz plötzlich die Tür in sich zusammen, als wäre sie ein Stück Butter unter der Sonne, es wurde sehr heiß und hell, sodass ich geblendet war. Und dann traten sie ins Zimmer, Sancho und Don Quijote. Hungrig, wie er war, begann der Esel die Plastikblumen zu kauen, Rocinante ließ sich müde neben dem Bett nieder.

»Noch ist die Rückkehr möglich«, sagte Sancho, »dein Chef in der großen Pharmafirma lässt dich grüßen. Er freut sich, wenn du nach diesem Ausflug nach Utopia zurückkehrst.«

»Pillendreher, Jahrmarktheiler, Alchemist«, knurrte Don Quijote, »was können die wenigen tapferen Zuhörer dafür, dass so viele Bequeme an einem eisigen Tag lieber zu Hause bleiben«, sagte er zu mir und versetzte Sancho, der ihm Grimassen schnitt, einen Tritt, »und denen, die gekommen sind, schuldest du etwas. Du musst ihnen ihre verlorene Zeit mit Geschichten zurückschenken, die Kälte ihrer Glieder mit der Wärme deines Herzens vertreiben. Dann werden sie deine Botschafter, und beim nächsten Auftritt werden doppelt so viele auf dich warten. Das garantiere ich dir! Auf geht es«, rief er und schwang sich auf Rocinante, der sich unwillig aufrichtete. Bald kehrte Ruhe ein, und ich freute mich, dass diese Augenkrebs erregenden Plastikblumen zerfetzt im Papierkorb lagen. Esel haben eben Geschmack.

Ich ging hinaus und erzählte so gut ich konnte, und die Zuhörerinnen und Zuhörer wurden – genau wie Don Quijote prophezeit hatte – zu meinen Botschaftern, und beim nächsten Besuch waren es zwanzig, beim dritten achtzig und seit Jahrzehnten sind die Veranstaltungen ausverkauft.

Aber bis heute kann ich, können wir – Buchhändler, Journalisten, Kulturbeauftragte, Professoren und Liebhaber der Literatur und der mündlichen Erzählkunst – keinen Begriff finden, der präzise definiert, was ich mache. Also, wie heißt dieses Ereignis: Lesung ist es nicht und Erzählung bedeutet auf Deutsch etwas ganz anderes. Erzählzeit nannte ich es. Ohrfilm, poetischer Spaziergang und andere Unbeholfenheiten mussten auch schon herhalten. Manchmal habe ich verzweifelt gerufen: »Ein Himmelreich für ein passendes Wort!« Dreißig Jahre unterwegs und keine Lösung in Sicht. Damit haben Sie es auf der Hand, wie weit das Schriftliche das Mündliche verdrängt hat oder wie schwer es im Zeitalter der Schrift ist, Begriffe für das Mündliche zu finden.

Damals schrieb mir Ibn Aristo mahnende Worte.

IBN ARISTO MAHNT

... ich weiß, ich weiß. Ich schrieb dir: »Die Erfahrung, die du in der arabischen oder aramäischen Sprache gemacht hast, ist nur bedingt brauchbar in einer indogermanischen Sprache, in einer christlich geprägten Kultur und mit einem Publikum, das kaum Erfahrung mit mündlicher Kultur, mit Zuhören hat.«

Du hast recht, wie so oft, aber lass mich bitte weitererzählen ...

Da ich ein Tagebuch meiner Reisen führe, kann ich heute über die Erfahrung eines mündlichen Erzählers genau berichten.

1. 1980 startete ich meine Reise, die bis heute andauert. Ich habe damals jeden Vortrag sorgfältig vorbereitet und tue es auch heute noch. Die gute Vorbereitung ist notwendig, um auch gegen Katastrophen oder unvorhergesehene Unannehmlichkeiten gewappnet zu sein. Ein Stau, ein aufgebrachter reaktionärer Araber, der nicht gekommen war, um zuzuhören, sondern um mit mir zu streiten, eine kurz zuvor zerbrochene Liebe, eine Verliebtheit, die einen zehn Minuten vor dem Auftritt überfällt. Für all das und noch vieles mehr musste ich vorbereitet sein, denn selbst das großartigste Publikum gewährt keinen »Blackout« von mehr als drei Minuten.

2. Ungeachtet der Zuneigung oder Ablehnung, die meine Entscheidung in der literarischen Welt hervorrufen sollte, war ich von Anfang an entschlossen, das mündliche Erzählen hochliterarisch zu halten, denn die Verführung ist groß, das Publikum plaudernd zu unterhalten, vielleicht sogar im arabischen Gewand und mit einer Wasserpfeife und Weihrauch kitschig ausgerüstet, was ja oft zur Tarnung der fehlenden literarischen Qualität dient. Und wenn all das nicht reicht, so helfe man sich mit einer Bauchtänzerin.

3. Die von mir geschriebenen Geschichten sind zwar sehr nahe an meinen mündlichen Stil angelegt, sie sind quasi ein Mischling der Ehe meiner orientalischen mündlichen und der okzidentalischen schriftlichen Erzählkunst. Aber diese Geschichten sind nur *eine* Variante aller Möglichkeiten, denn das mündliche Erzählen gestaltet sich im Augenblick seiner Geburt immer wieder als Unikat. Meine Bücher haben einen großen Auftrag: Sie sind zu meinen

Botschaftern geworden in Regionen, die ich nie bereist habe und die ich auch nie bereisen würde. Sie sind heute in 25 Sprachen überall auf der Welt lesbar geworden.

4. Meine Hoffnung war groß, meine Ziele noch größer. Inspiriert durch Don Quijote, wollte ich quasi durch die Hintertür in meiner Heimat wieder Fuß fassen. Ich träumte von einem Erfolg, der es mir erlauben würde, meinen Landsleuten laut zuzurufen: »Wacht auf und schaut eure Wurzeln an. Glaubt an euch selbst und versucht, originell zu erzählen, ohne die anderen nachzuahmen!« Ich wusste, ein Scheitern würde das unmöglich machen. Erfolg allein erlaubt solche Frechheit zu Lebzeiten. Deshalb ist Erfolg nicht so schlecht wie sein Ruf. Niemals im Leben hätten sich die arabischen Medien für mich interessiert, wenn ich in Deutschland nicht so großen Erfolg gehabt hätte, der seinerseits den Erfolg im englischen, italienischen und spanischen Sprachraum in die Wege leitete. Und seit die »Washington Post«, »El País« und »The Guardian« große Lobeshymnen auf mich sangen, kann ich mich vor Anfragen aus den arabischen Ländern kaum noch retten. Sogar mein Land will mich ehren. Das ist rührend, aber ich kann keine Ehrung eines arabischen Staates entgegennehmen, solange auch nur ein einziger Kollege seiner Meinungsäußerungen wegen im Gefängnis dieses Landes sitzt. Aber hätte mir vor zehn Jahren jemand gesagt, die »Süddeutsche Zeitung« würde meinen Roman über Damaskus, »Die dunkle Seite der Liebe«, in eine neue Reihe ihrer erfolgreichen Bibliothek über die Metropolen der Welt an zweiter Stelle nach New York und vor Peking, London, Mexiko und Paris aufnehmen, dann hätte ich für dieses Lob gedankt und empfohlen, bessere Witze zu erfinden. Heute ist es eine Tatsache, und ich kann Ihnen nicht beschreiben,

wie glücklich ich über diese Entscheidung gewesen bin, die zeitgleich mit der Ehrung der Brüder-Grimm-Professur kam.

5. Um Ihnen, durch den Türspalt, einen kleinen Einblick in meine Werkstatt zu ermöglichen, werde ich – heute zum ersten Mal – von den Vorbereitungen für eine Lesung berichten:

5.1. Ich gehe davon aus, dass mir bereits klar ist, was ich erzählen will, ob es eine kurze oder lange Geschichte wird, spielt inzwischen keine Rolle mehr. Anfängern empfehle ich immer, die Länge der Geschichte nur vorsichtig auszudehnen, damit das rettende Ufer in der Nähe bleibt. Aber man muss genau überprüfen, ob die Geschichte für eine bestimmte Gelegenheit passt oder nicht. Man kann nicht erotische Geschichten vor Nonnen vortragen oder brutale Geschichten vor Kindern. Manchmal werde ich dreimal innerhalb eines Jahres von einer großen Stadt eingeladen. Ich wiederhole mich nicht, sondern ich bereite drei verschiedene Texte vor.

5.2. Der Ablauf der Erzählung muss sorgfältig geplant werden. Der Text muss komplett verinnerlicht werden. Das bedeutet, so lange mit dem Text zu üben, bis einem der Weg durch die Geschichte mit all seinen Stationen und Fallgruben klar ist, bis man sich unter den Protagonisten leichtfüßig bewegen kann. Das ist nicht einfach, aber es ist möglich. Erst dann sind Spontanität, Scherz, Einfall und Schlagabtausch mit witzigen Zuhörern möglich, ohne den Faden zu verlieren. Erst dann ist es möglich, auftretende Schwierigkeiten (Mikrophon-, Licht- oder Stromausfall, Ohnmacht eines Zuhörers, übertriebene, empörte oder begeisterte Reaktionen aus dem Publikum etc.) zu bewältigen und zurück zur Erzählung zu finden.

5.3. Die Geschichten können auf drei Weisen, auf drei Wegen erzählt werden.

5.3.1. Verschachtelt: d.h. von Punkt 1 zu 2 zu 3 zurück zu 1, dann 4 -5 -6 und dann zu 2 oder 3 etc. Das kann auch komplizierter aufgebaut sein, etwa 1-2-3-1-4-2-5-6-7-3-1-8 etc. So hat Scheherasad, so habe ich meine Romane »Erzähler der Nacht« und »Die dunkle Seite der Liebe« auf meinen Tourneen 1989 bzw. 2004 erzählt.

5.3.2. Die Lampion-Brücke. Eine einzige Geschichte mit Zwischenstationen, Lampions, bei denen ich verweile und in die Breite und Tiefe gehe, ganze oder Teilgeschichten erzähle, so wie in »Poetischer Spaziergang durch Damaskus«, wo ich an mancher Tür, in mancher Gasse, an einem Garten anhalte und Geschichten erzähle, die damit zu tun haben. So auch habe ich »Den Fliegenmelker«, »Damaskus, der Geschmack einer Stadt«, alle Kindergeschichten und »Eine Hand voller Sterne« erzählt.

5.3.3. Der Ohrfilm ist eine Variante, die ich für manche Romane einsetze, die einen starken filmischen Erzählbogen haben, wie »Der ehrliche Lügner« (Tournee 1992–1994), »Reise zwischen Nacht und Morgen« (1995–1997) und zuletzt »Das Geheimnis des Kalligraphen« (2008–2010). Der Ohrfilm ist wie ein Kinofilm, aber konzipiert für das Ohr. Die Rückblenden sind hier Personen und Ereignisse, die ich im Gedächtnis der Zuhörer immer wieder (mehr am Anfang als am Ende) wie auf einem Schaukelstuhl ausruhen lasse, mit dem Versprechen, sie später an geeigneter Stelle abzuholen, und das tue ich mit Sicherheit, was zur Erheiterung der Zuhörer und zur Steigerung ihrer Konzentration und Aufmerksamkeit führt. Noch nie habe ich meine Zuhörer mit einer einzigen noch schaukelnden Szene im Kopf nach Hause geschickt.

Sie merken schon, die Verschachtelung ist sehr nahe mit dem ursprünglichen mündlichen Erzählen verwandt, während der Ohrfilm sehr viel mit dem Schriftlichen zu tun hat. Nie aber ist eine Erzählform so rein, wie ich sie hier der Einfachheit halber schildere. Es gibt immer viele Varianten und Mischformen.

Würde ich hier aufhören, über die Bedingungen des mündlichen Erzählens, über meine Erfahrung der vergangenen dreißig Jahre zu reden, müsste ich mir den Vorwurf machen, nicht genau erzählt zu haben. Es sind Voraussetzungen und Rahmenbedingungen, ohne die ein erfolgreiches mündliches Erzählen unmöglich ist. Mögen meine Leser und Zuhörer auch den Verdacht hegen, die Aufzählung sei übertrieben, ich kann Ihnen versichern, es ist nur die Spitze des Eisbergs.

1. Ein Erzähler muss, unabhängig von der Jahreszeit, von seiner psychischen und physischen Gesundheit, so weit akzentfrei erzählen können, dass das Zuhören nicht ermüdet. Eine warme, klare Stimme kommt sicher besser an als eine schwache, krächzende.

2. Die mündliche Erzählkunst lebt im Gegensatz zu ihrer schriftlichen Schwester vom zuhörenden Publikum. Der Autor einer Schrift muss weder sein Publikum kennen noch mögen, er muss weder höflich noch gut gelaunt, geschweige denn pünktlich oder frisch sein. Die Schrift setzt weder eine gute Stimme noch ein gutes Gedächtnis voraus. Das alles aber verlangt die mündliche Erzählung. Und nebenbei bemerkt, hier an diesem Punkt werden alle entlarvt, die keine Ahnung von der mündlichen Erzählkultur haben. Sie wissen nichts vom tiefen Respekt, den ein mündlicher Erzähler vor seinem Publikum spürt. Dieser Respekt ist weder ein Erzeugnis des Charmes noch eine schleimige An-

biederung. Er geht zurück auf eine jahrtausendalte Überzeugung, dass das Publikum beim mündlichen Erzählen ein Partner ist, ein gleichberechtigter Partner, ohne den nichts gelingen wird. Und deshalb lache ich gemeinsam mit den Kennern dieser Kunst, wenn meine Feinde mich kritisieren wollen, weil das Publikum mich mag. Sie mögen mich hinter verschlossenen Türen in irgendwelchen Gremien als »populär« bekämpfen, aber sie sind Dilettanten, weil der Respekt vor dem Publikum genauso wichtig ist wie die Stimme und das Gedächtnis des Erzählers. Um es noch plastischer darzustellen: Der Vorwurf meiner Gegner ähnelt dem, einem Ölmaler vorzuwerfen, er male mit Öl. Wer also Scheu oder Verachtung vor einem Publikum empfindet, darf diesen Beruf nicht ergreifen.

3. Der mündliche Erzähler darf vor seinem Auftritt weder Alkohol noch Drogen, noch eine übermäßige Mahlzeit zu sich nehmen. Er darf nicht – in meinem Fall unter keinen Umständen auf Arabisch – streiten. Das alles vermindert die Konzentration, und der verinnerlichte Text leidet bei der unmittelbar bevorstehenden Wiedergabe. Bei einem Streit in der Muttersprache vor dem Vortrag in einer spät erlernten Sprache sind die Störungen verheerend.

4. Zu große Trauer oder Verliebtheit macht die Wiedergabe fahrig, flatterig, der Inhalt wird irgendwie wiedergegeben, aber die Sprache verliert an poetischer Schönheit und Kraft.

Da kein Mensch im aseptischen Raum lebt, wird immer ein schlechtes Hotel, ein Stau, eine schlechte Nachricht, ein unvermeidbarer Streit, ein gesundheitlicher Mangel, ein Leichtsinn beim Essen und Trinken oder eine Mischung von all diesen Gewürzen das Gericht des Erzählers etwas verderben. Damit muss man leben, damit kann auch das Publikum leben, wenn die Erzählung stimmt.

Nun, nach dreißig Jahren und über 2300 Erzählabenden (ein Königreich für einen griffigen Begriff), bin ich geübter, gelassener und vor allem disziplinierter. Und trotz meiner Erfahrung machte es mich vor kurzem sehr nervös, als ich auf dem Weg von Pforzheim nach Schwäbisch Hall eine Autopanne hatte und drei Stunden lang wartete, um einen Leihwagen zu bekommen. Ich kam auf Umwegen eine halbe Stunde vor Beginn der Veranstaltung an. Das Publikum empfing mich gnädig, freundlich, und nach zehn Minuten vergaß ich Auto und Autobahn.

Was ich sagen will, bevor ich es vergesse, ist: Die mündliche Erzählkunst kann uns viel geben, kann uns ermuntern, die Sprache zu genießen, den Klang der Worte zu schmecken und dem anderen Respekt entgegenzubringen. Man kann sich alles Mögliche ansehen, aber man hört nur dem konzentriert zu, den man respektiert. Das Mündliche kann Welten durchs Ohr genießen, Paradiese für den Augenblick entstehen lassen, sie übers Ohr verinnerlichen. Das Mündliche kann Stimmung erzeugen, die keine Zeile Text für sich genommen erzeugen kann. Erst die Stimme, das Ohr geben den Worten Leben, Zauber.

IBN ARISTO ERKLÄRT, WAS DIE MÜNDLICHKEIT KANN, UND VOR ALLEM, WAS SIE NICHT KANN

Vielen Dank für den Einblick in deine Werkstatt. Du kannst deine Lobeshymne auf das Publikum bis morgen früh weitersingen. Mir ist die unangenehme Aufgabe zugefallen, dich auf den harten Boden der Fakten zurückzubringen. Jetzt muss ich des Teufels Advokaten spielen.

Das Mündliche hat seine Schwächen: Es eignet sich in der Regel nicht für die Entwicklung komplizierter wissenschaft-

licher, ökonomischer oder philosophischer Abhandlungen und Texte. Ausnahmen gibt es schon, wie die genialen Einstein, Rjasanow und Adorno, die oft komplizierte Inhalte frei gesprochen haben.

Auch eignet es sich nicht dafür, Debatten mit Pros und Contras, Zustimmung und Widerspruch für die Nachwelt zu liefern. Dafür und für den Fortschritt der Wissenschaften war die Schrift das beste Mittel. Denn am Festgehaltenen kann sich der Geist feilen. Das Mündliche kann sehr poetisch, filigran die Stimmung wiedergeben, aber es verträgt weder Klammern noch Randbemerkungen, noch Fußnoten, allenfalls Fußnöte, die der Redner durch das lange Stehen erleidet.

Rational betrachtet liegt darin der Sieg des Schriftlichen über das Mündliche. Nur durch die Schrift ist all das Wissen zu dem geworden, was es heute ist.

Was das Mündliche geleistet hat, können wir kaum in Worte fassen: Erfahrung wird durch Zeit (von Generation zu Generation) und Raum (von Kontinent zu Kontinent) weitergetragen. Das Produkt des Mündlichen unterliegt aber einer steten Veränderung. Seine Grenzen sind dynamisch, und vieles, was wir heute als Text lesen, ist nichts anderes als eine mögliche Variante des ursprünglichen Berichts. So etwa die Bibel, die vier offiziellen Evangelien, der Koran, die Sprüche aller Propheten. Die Texte wurden Jahrzehnte, wenn nicht Jahrhunderte später endgültig und in der Form festgehalten, die wir heute kennen.

Und da du hier im Rahmen einer Brüder-Grimm-Professur den Vortrag hältst, ist es zum einen vielleicht passend, an die großartigen Brüder Grimm zu erinnern und an ihr Verdienst um die deutsche Sprache und um das mündliche Erzählgut, das sie von Erzählerinnen und Erzählern hörten und niederschrieben. Geradezu notwendig ist es aber zum ande-

ren, daran zu erinnern, dass die Romantiker insgesamt diejenigen waren, die die Wichtigkeit der mündlichen Traditionen erkannten: James Mac Virsen (1736–1797) in Schottland, Thomas Persi (1729–1811) in England, die Brüder Jacob (1785–1865) und Wilhelm (1786–1859) Grimm in Deutschland, Francis James Child (1825–1869) in den USA.

Du hast uns gerade reichlich von dem Zauber des mündlichen Erzählens berichtet. Doch andererseits gehört es zu den Eigenschaften des Mündlichen, dass seine Spuren fein sind und schnell verschwinden können. Das Gesprochene von mehreren Jahrhunderten lässt sich im Nachhinein kaum mehr überprüfen. Ist das Wort schriftlich festgehalten, so kann man es auch nach Jahrhunderten genau überprüfen, kommentieren, korrigieren. Die Schrift friert das Wort ein und macht es endgültig. Das mündlich gesprochene Wort wirkt vielleicht im Augenblick sehr intensiv, aber es stirbt auch im Moment seiner Geburt. Die Schrift macht das Wort zeitlos, unsterblich wie die Götter, wie die Pyramiden.

Das mündliche Erzählen braucht mindestens zwei Menschen, um überhaupt zu existieren. Der Erzähler allein genügt nicht. Seine gesprochenen Worte sind so lange noch keine Erzählung, bis eine oder besser mehrere Personen sie hört(en). Und auch das reicht noch nicht aus, um einer Erzählung ein zeitliches Überleben zu garantieren. Denn selbst wenn die Zuhörer die Geschichte, die Lehre oder die Philosophie, die sie gehört haben, verstehen, so sollen sie sie zudem im Gedächtnis behalten können. Das ist die wichtigste Voraussetzung für das Überleben einer Geschichte, einer Weisheit oder einer religiösen, philosophischen oder politischen Lehre.

Der Erzähler muss also eine geeignete Form finden, damit die Zuhörer das meiste auch behalten. Über die Jahrtausende hat sich ein gewisses Vorratslager an Elementen angesammelt, die man beachtet, wenn man eine Rede halten will, sei es die Metapher, die Anspielung oder die Belebung durch Übertreibungen, seien es Umschreibungen, rhetorische Fragen, Verneinungen, nur um damit nachdrücklich zu bejahen, Wortreihen mit »und« (bis der erste Tag der Schöpfung zu Ende ist, sind es neun) oder ohne ein einziges »und« wie bei Julius Cäsars »veni, vidi, vici«. Es gibt mehr als genug Maßnahmen, die man treffen kann, um seine Rede an die Menschen zu bringen. Generell sind kurze Sätze besser als verschachtelte lange. Daher ist im mündlichen Erzählen die Ellipse sehr beliebt (z. B. »Was nun?«, »Mir nichts, dir nichts«).

Auch das später im Schriftlichen verpönte Adjektiv war im Mündlichen notwendig, um die Erinnerung zu unterstützen (das Bild kleines verfallenes Haus bleibt länger im Gedächtnis als das nackte Wort Haus). Eines der wichtigsten Elemente und eine einprägsame Stütze einer Rede sind Wiederholungen von Wörtern und ganzen Sätzen. Manche Wiederholung tritt wie eine Schleife immer wieder auf. Der Erzähler setzt sie ein, um die Aufmerksamkeit seiner Zuhörer zu erfrischen, um den Zuhörern eine Gedächtnisstütze zu geben. Denn sie können ja nicht zurückblättern und haben vielleicht einiges inzwischen vergessen, was für die kommende Handlung wichtig ist. Indem man wichtige Elemente immer wieder nach vorne holt, treibt man die Geschichte voran. Solche Schleifen helfen zudem bei schlechter Akustik und auch, wenn Zuhörer verspätet dazukommen. Damit sie nicht auf der Strecke bleiben, bekommen sie mit diesen Schleifen einen Faden in die Hand und können das Geschehen nun mitverfolgen. Es hilft den Zuhörern, die ja keinen Notizblock haben, auch, wenn die Erzählung lebensnah bleibt und nicht allzu abstrakt wird.

Das Schreiben neigt hingegen zur Kürze, weil es von Anfang an mit Handarbeit verbunden war und viel langsamer *als das Sprechen ist (man schätzt seine Geschwindigkeit auf ein Zehntel der Geschwindigkeit des mündlichen Erzählens). Daher die berechtigte Abneigung gegen all das »Füllmaterial«, ohne das mündliches Erzählen wiederum nicht leben kann.*

Das Erzählen verlangt ein gutes Gedächtnis, und die herausragenden Erzähler waren früher hochangesehen. Man verglich sie respektvoll mit lebenden Bibliotheken. Starb ein Erzähler, so ging, wie beim Brand einer ganzen Bibliothek, unendlich viel verloren. Die Schrift aber hat die Erzähler entmachtet, denn sie holte das Wissen aufs Papier. Es blieb nicht einigen wenigen vorbehalten, sondern wurde in einem demokratischen Prozess für die ganze Gesellschaft zugänglich.

Schon gut, Ibn Aristo. Ich muss langsam zum Schluss meiner Rede kommen und ein paar Worte über Erfindung von Geschichten in unserer Zeit sagen.

Es heißt, Geschichten seien ein Produkt der menschlichen Gattung. Das ist richtig. Tiere können keine Geschichten erzählen. Doch man darf das Geschehen, den Prozess, nicht zu sehr versimpeln, als würde man erstens handeln, zweitens sein Handeln reflektieren und drittens daraus im Kopf eine Geschichte darüber formen oder entstehen lassen. Als wären unsere Gedanken immer neugeboren, frei von der Vergangenheit, und als entstünden sie gerade bei und nach dem Handeln. Dabei bliebe ja der Anteil an vergangenen Geschichten unberücksichtigt, die unsere Wahrnehmung beeinflussen und damit die Entstehung von Gedanken und Geschichten mitgestalten. Und das Bild ist sogar noch komplizierter. Nicht nur in unseren Geschichten, sondern auch in unserem Handeln stecken viele vergangene Geschichten. Unzählige Geschichten aus der Bibel, aus guten und schlechten Filmen, Romanen, Sprichwörtern, Ratschlägen, die wiederum Extrakte vorheriger Geschichten sein können. Oscar Wilde bringt es auf den Punkt, wenn er (in »Der Verfall der Lüge«) meint: »Das Leben ahmt die Kunst weit mehr nach als die Kunst das Leben.«

IBN ARISTO UNTERBRICHT, UM EINEN SPRUCH LOSZUWERDEN

Es gibt ein ungeschriebenes Gesetz, das seit Ewigkeit besteht: Geschichten, die gegen die Zeit bestehen wollen, müssen immer ein Stück Zukunft in sich tragen, auch wenn sie von Vergangenem erzählen.

Das ist auch meine Erfahrung, Herr Ibn Aristo, die ich durch Beobachtung gebildet habe. Nun aber leben wir in einer Zeit, in der die Technik sowohl die Schrift als auch den Mund behindert. Die Elektronik und die weltweite Vernetzung macht es uns leicht, in wenigen Sekunden Termine, Grüße, Proteste, Fragen und Antworten, Trauer und Freude auszudrücken. Kaum jemand schreibt Briefe, die Telefonzellen verschwinden, weil fast jeder sein Handy hat. Ich schreibe manchmal fünfzehn E-Mails an einem Tag. Die Adressaten sind in den USA, Europa, Asien und Afrika und bekommen nicht selten am Tag ihres Schreibens noch eine Antwort. Vor zehn Jahren wäre das unvorstellbar gewesen. Aber was sind das für Briefe? Es sind sehr effektive Mitteilungen. Bislang habe ich noch keine SMS, »Short Message Service«, geschrieben – die Generation meines Sohnes schreibt zwanzig und mehr pro Tag. In der Bundesrepublik schätzt man die Zahl der SMS auf jährlich 10 bis 15 Milliarden.

Die Sprache steht nicht selten unter dem Druck der Eile und dem begrenzten Platz und wird bis zur Unkenntlichkeit verhunzt. »Zumiozudi« bedeutet: zu mir oder zu dir, und auf Deutsch: Wollen wir (heute/morgen/später) zu mir oder zu dir gehen?

Es gibt gute Untersuchungen über diese neue Kommunikation. Was mich interessiert, ist der radikale Einbruch der Sprache, der nicht nur in der SMS zum Vorschein kommt, sondern ein Merkmal unserer Zeit ist. Und es wirkt altmodisch, wenn ich betone, dass Denken ja mittels Wörtern formuliert wird und daher bei dieser Reduzierung der Sprache nicht ohne Schaden bleiben wird. Nicht von heute auf morgen, aber langfristig sind negative Folgen abzusehen.

Dagegen muss die mündliche Erzählkunst etwas tun, um das verlorene Terrain wieder zurückzuerobern. Sie kann Kinder und Erwachsene genussvoll darauf aufmerksam machen, wie schön die Sprache ist – und muss dabei nicht moralisieren. Wir wissen, dass Demokratie für ihr Bestehen mündige Bürger braucht. Das ist keine poetische Übertreibung. Laut Verfassung sind die Bürger der Souverän des Staates. Und sie werden umso kritischer sein, je besser sie zu hören, zu sprechen und damit ihre Gedanken auszudrücken wissen. Sprechen ermöglicht Solidarität und Widerstand gegen Machtmissbrauch. Auf Dauer verliert der schweigsame Bürger seine Mündigkeit.

Nun, fast parallel zum Einzug der Digitalisierung der Schrift, ist aber etwas Merkwürdiges passiert. Das Zuhören kehrte zurück. Ein Zeichen dafür ist der Boom der Hörbücher, der vor dreißig Jahren undenkbar gewesen wäre. Rezitatoren, Kabarettisten, Comedians und andere Künstler, die ausschließlich auf die Wortkunst bauen, haben immer mehr Erfolg und bekommen sogar einen Sendeplatz im Fernsehen.

Das alles ist ein Zeichen einer neuen Mündlichkeit. Aber diese neue Mündlichkeit ist ein Hybridwesen. Sie unterscheidet sich wesentlich von der ursprünglichen Mündlichkeit, weil sie, bei aller Liebe zur Improvisation, zu ihrer Existenz den Text braucht. Sie nimmt das Schriftliche auf und modifiziert es, wenn auch nicht immer mit Erfolg, zu einem mündlichen Kunstwerk von beachtlicher Schönheit.

Die Puristen mögen einwenden, dass unsere heutige mündliche Erzählkunst nicht ganz echt sei, weil sie sie weniger ursprünglich finden. So ist es zum einen fraglich, ob es einen einzigen Ursprung für die Mündlichkeit gibt, auf den man sich berufen kann, und zum anderen ist diese neue mündliche Erzählkunst zeitgemäß, überlebensfähig und verfügt im Vergleich zu ihren Vorfahren über ein gewaltig großes Publikum. Auch die mündliche Kunst gedeiht nicht in einem aseptischen Raum, sondern mitten unter den Menschen, deshalb ist ihr Wandel und ihre Verwandlung allgemein ein ganz natürlicher Prozess, dem alles Lebendige unterliegt. Das soll nicht pauschal als Gütesiegel für das Neue gelten. Die meisten modernen mündlichen Erzähler sind, so wie ihre schriftlichen Zwillingsbrüder, oberflächlich, auf Beifall und Einschaltquoten programmiert, aber ein einziger Gerhard Polt reicht, um die mündliche Erzählkunst dieser Zeit zu loben. Puristen waren immer lebensfeindlich.

Hier sollte mein Vortrag enden. Ich hatte noch einen Satz zum Abschied parat, um die Brüder Grimm zu ehren, die viel mit Kassel zu tun hatten. Sie hatten eine großartige Haltung gegen die Willkür des reaktionären Herrschers Ernst August I. eingenommen, der die errungene Verfassung für das Königreich Hannover wieder aufheben wollte. Eine große Mehrheit der fünfzig Professoren duckte sich, aber die tapferen Sieben erhoben die Stimme für die Freiheit. Die sogenannten Göttinger Sieben wurden entlassen und einige von ihnen, darunter Jacob Grimm, sogar des Landes verwiesen. Eine Woge der Sympathie schlug den Sieben entgegen, und die Universität Göttingen musste in der Folge eine herbe Niederlage einstecken.

Dann schrieb ich noch einen giftigen Satz: Die Brüder Grimm hinterließen gewaltige Schätze für die deutsche Sprache, König Ernst August I. hinterließ den Deutschen seinen Ernst August Albert Paul Otto Rupprecht Oskar Berthold Friedrich-Ferdinand Christian-Ludwig Prinz von Hannover Herzog zu Braunschweig und Lüneburg, bekannt unter dem Namen: Pinkelprinz. Wer es nicht glaubt, soll den Begriff »Pinkelprinz« bei Google eingeben.

Nach diesem Scherz schrieb ich einen seriösen Schluss für meine Rede. Doch bevor ich darauf zurückkomme, erzähle ich, was in jener Nacht passiert ist.

Ich hörte einen Krach. Es war kurz vor Mitternacht. Draußen tobte der Sturm, und Regen peitschte gegen mein Fenster. Ich dachte, eine Dachrinne wäre gerissen oder ein Baum gegen das Haus gefallen.

Ich wunderte mich über ein aufdringliches Geräusch und Stimmengewirr im Erdgeschoss. Mein Sohn und meine Frau waren in München. Ich hatte nicht mitfahren können, weil ich an diesem Vortrag arbeitete.

Für einen Augenblick hatte ich Angst. Es hörte sich an, wie wenn jemand die Haustür aus den Angeln gerissen hätte. Ein Pferd wieherte. Ich rannte hinunter. Don Quijote und Ibn Aristo standen vor meinem Kamin. »Wein und Speis für uns und ein Obdach für die Tiere«, sagte Don Quijote aufgeregt. Um seine Füße sammelte sich langsam eine kleine Wasserlache. Ibn Aristo warf seinen arabischen Umhang von sich, der wie ein nasser Sack neben die Treppe klatschte. »Ein Sauwetter«, sagte er und fuhr sich mit den Fingern durch das lockige Haar.

Ich eilte hinaus. Sancho Panza stand bei seinem Esel und streichelte ihm den Kopf. Er, Rocinante und der kleine Esel Rucio trieften vor Wasser. Die Garage war leer, da mein Sohn und meine Frau mit dem Wagen unterwegs waren.

»Futter haben sie genug im Sack, aber dieser Regen macht sie fertig«, sagte Sancho. Ich öffnete das Garagentor und Sancho führte die Tiere hinein. Dann kehrte ich ins Haus zurück. Ibn Aristo hatte bereits ein Feuer im Kamin entfacht.

»So kannst du das Ganze nicht abschließen«, sagte Don Quijote.

»Ich habe Hunger wie mein Rucio«, stöhnte Sancho, der inzwischen zu uns gestoßen war.

Ich bat die Herren in die Küche. Ibn Aristo half mir den Tisch decken, während Don Quijote, auf seine Lanze gestützt, jedes Mal wie eine bronzene Figur aufleuchtete, wenn es draußen blitzte. Sancho begann zu essen, biss so gierig abwechselnd in die Salamistange und das Baguette, dass er kaum noch Luft kriegte.

»Beim Essen vergessen sich die Esel«, sagte Don Quijote verächtlich.

Bald fanden er, Ibn Aristo und Sancho Gefallen an den Oliven, am Käse und Wein, und nachdem die Herren ihren Hunger gestillt hatten, bat ich sie in das Wohnzimmer, um dort den Wein mit salzigen Pistazien zu genießen. Sancho warf sich mitsamt seinen nassen Kleidern auf das kleinere Sofa. Das Kaminfeuer bemalte sein unrasiertes Gesicht mit der rötlichen Farbe der Unschuld eines Kindes.

»Du kannst nicht all das verschweigen, was du in den

Jahren erlebt hast. Dafür habe ich mich nicht an deine Seite gestellt«, hob Don Quijote an.

»Ach, ich wäre um ein paar Schläge weniger nicht unglücklich«, murmelte Sancho, gähnte herzhaft und drehte sich um. Bald hörte man ihn leise schnarchen.

»Ja, du musst unbedingt von deinen Feinden erzählen und wie du sie mit meiner Hilfe einen nach dem anderen erledigt hast. Du musst davon erzählen, sonst sieht das alles nach einer rosaroten Wolke der Glückseligkeit aus. Weil ich dich seit einer Ewigkeit begleite, weiß ich, dass du noch ganz andere Dinge außer der Sprache zu bewältigen hattest.«

»Aber wir sind doch hier nicht in einer Klatschrunde. Hier, bei einer Grimm-Professur, zählt nur die Leistung und das Wissen«, sagte Ibn Aristo, »und darüber haben wir zur Genüge gesprochen.«

»Die Kämpfe, oh Feigling«, rief Don Quijote empört und seine Augen glühten röter als das Holz im Kamin, »gehören zum Wissen, und meine Kämpfe für die Ehre sind auf der ganzen Welt bekannter als alle spanische Wissenschaft der vergangenen Jahrhunderte.«

»Oh, und meine blauen Flecken auch?«, fragte Sancho, der durch die laute Stimme seines Herrn kurz aufgewacht war. Aber er schlief sofort wieder ein.

»Du musst auf jeden Fall von den Frankfurter (1990) und Züricher (2000, 2009) Gemeinheiten berichten. Aber wenn du das nicht willst, dann erzähl zumindest die jüngste Gemeinheit aus Kairo (2010), wo sich deine deutschen Feinde sogar mit dem Geheimdienst zusammengetan und das Goethe-Institut missbraucht haben, um dir eins auszuwischen, und wäre ich nicht aufgetreten und hätte sie zusammengestaucht, so könnte man nicht ...«

»Nein, nein, lieber Don Quijote«, antwortete ich, »ich muss Ibn Aristo dieses Mal recht geben. Das werden die Biographen anhand der Dokumente genug zu würdigen wissen, aber angesichts der knappen Zeit möchte ich das weglassen.«

»Vielen Dank«, sprach Ibn Aristo. »Stellen wir, um Zeit zu sparen, eine letzte, aber wichtige Frage: Warum hat die übersetzte arabische Literatur hier kaum Fuß gefasst? Du hast ja etwa in der Mitte deiner Rede versprochen, darüber zu reden.«

»Ja«, antwortete ich, »vielen Dank, ich habe es beinahe vergessen. Man kann darüber natürlich einen ganzen Abend reden oder einen langen Essay schreiben. Und ich habe auch immer wieder darüber geschrieben.«

»Ich weiß, ich weiß«, sagte Ibn Aristo, »entschuldige bitte. Aber nehmen wir einmal an, ein Deutscher hat nichts gegen den Islam und gegen die Araber. Er hat keine Angst vor beiden Kulturen und will all die dunklen Seiten der Geschichte vergessen. Er will die arabische Literatur kennenlernen und genießen. Und ich übertreibe nicht, wenn ich sage, dass in den letzten fünfzig Jahren Hunderttausende von Menschen genau das versucht haben, mit den besten Absichten, und dennoch ist es ihnen nicht gelungen, die arabische Literatur in den Mittelpunkt des Marktes zu hieven. Auch nicht nach 2004, als die arabischen Länder Gast bei der Frankfurter Buchmesse waren. Warum ist das nicht möglich?«

»Ich mache eine dritte Einschränkung, damit wir Zeit sparen und zum Kern der Misere vordringen«, sagte ich. »Mich interessieren hier die Autoren und Autorinnen nicht, die im Kopf noch kolonialisiert sind – und das ist die schlimmste Folge des europäischen Kolonialismus. Sie produzieren nichts Originelles, sondern ahmen, wie ich am

Anfang meiner Rede erwähnt habe, Thomas Mann, Franz Kafka, Honoré de Balzac, Ernest Hemingway, Maxim Gorki und zuletzt Gabriel García Márquez nach. Sie werden zu kleinen Kafkas und winzigen Hemingways, aber sie hinterlassen keine Spuren, weder in ihrer eigenen Sprache noch in irgendeiner Fremdsprache.

Mich interessieren Autoren, die trotz ihrer originellen Werke bei den Lesern in Deutschland nicht ankommen.«

»Und nichts anderes wollte ich hören, denn nur das ist spannend für mich«, bestätigte Ibn Aristo strahlend.

»Der erste Grund ist und bleibt: die grottenschlechten Übersetzungen. Ich kenne einen Übersetzer, nennen wir ihn ›Makler Harry‹, weil er, statt besser Arabisch und Deutsch zu lernen, inzwischen mit Literatur handelt und mit Übersetzungsrechten schachert. Harry hat bereits über fünfzig Romane übersetzt. Man kann keinen einzigen davon genießen. Warum? Der Mann beherrscht die arabische Sprache nur schlecht. Das kann man noch verzeihen. Arabisch ist eine sehr schwierige Sprache, aber der Mann hat libanesische, syrische, ägyptische, libysche, sudanesische, jemenitische und andere arabische Autoren, Männer wie Frauen, so übersetzt, dass man nicht einen winzigen Unterschied ihrer Sprachen erspüren kann. Ich möchte euch und meine Leser nicht mit Details langweilen. Kurz gesagt, er hat das Original zurechtgebogen und mit seinem Bürokratendeutsch neu geschrieben. Und deshalb haben alle Romane denselben Atem, seinen Atem, und der riecht nicht besonders gut. Und weil ein Tunesier nun wie ein Libanese klingt, wie ein Sudanese, wie eine Ägypterin, wird er überflüssig. Das ist inzwischen auch vielen arabischen Autoren klar geworden, aber die Jahre sind einfach vergeudet und die Chancen verpasst.

Wäre das der einzige Fehler, könnte man vielleicht noch hoffen, man würde durch den Brei zu den Rosinen der Autoren vordringen und ihre Erzählkunst kennenlernen. Nun aber kommt der zweite Faktor. Die guten Autorinnen und Autoren der arabischen Länder haben mehr oder weniger den starken Einfluss der mündlichen Erzählkunst beibehalten. Da die Übersetzer aber keine Ahnung von dieser mündlichen Erzählkunst haben, würgen sie die deftigen, lebendigen Geschichten ab und verwandeln sie in schriftliche europäische Geschichten, und das ist der größere Verlust. Die Texte klingen seelenlos. Die Aufforderung des genialen Goethe: ›Beim Übersetzen muss man bis ans Unübersetzliche herangehen; alsdann wird man aber erst die fremde Nation und die fremde Sprache gewahr‹, klingen wie eine vernichtende Kritik dieser Übersetzer, die nicht einmal die Grenze des Übersetzbaren erreichen.

Ein trauriges Beispiel genügt, um diesen Verlust darzustellen. Emil Habibi (1922–1996) war einer der besten Kenner der mündlichen Erzählkunst. Ich habe von kaum einem arabischen Autor der Gegenwart mehr gelernt als von ihm. Er war auch einer der größten palästinensischen Autoren in Israel. Er schrieb eine geniale Satire, die 1974 erschien und in allen arabischen Ländern bejubelt wurde. Der Titel allein ist ein Witz: der »Pestimist«, arabisch »Mutascha'el«, eine Mischung aus Pessimist (Mutascha'em) und Optimist (Mutafa'el). Es ist eine Mischung aus alten Mythen, arabischen Legenden, Volksgeschichten, Märchen, Geschichte, Politik, Weisheiten, Psychologie, Lyrik, Science-Fiction und moderner schwarzer Satire. Ich las das Buch mehrmals, und jedes Mal musste ich Tränen lachen. Seine Sprache ist das schönste Element dieses Romans, eine urarabische, lyrische, schonungslose Sprache. Die arabische Literaturkritik sang die höchsten Lobeslieder auf den Roman.

Sieben Übersetzer, darunter auch der oben erwähnte Fließbandübersetzer Harry, hockten mit ihrem Hintern auf der Brust dieser exzellenten arabischen Geschichte und erstickten jedes Lachen, jeden feinen Bezug zu alten Geschichten und jedwede Verbindung zur mündlichen Erzählkunst, und was kam heraus? Eine bürokratisch-akademische Übersetzung ihrer eigenen Langeweile, die den Tag ihres Erscheinens nicht überlebt hat. Um den großen Meister noch ein letztes Mal in diesem Zusammenhang zu bemühen. Goethe schreibt in seinen »Maximen und Reflexionen«: »Übersetzer sind als geschäftige Kuppler anzusehen, die uns eine halbverschleierte Schöne als höchst liebenswürdig anpreisen: Sie erregen eine unwiderstehliche Neigung nach dem Original.« Diese sieben Übersetzer haben eine Krämerseele, und deshalb werden sie nie die Worte eines Kosmopoliten, einer Weltenseele wie Goethe verstehen. Sie haben eine der schönsten Literaturen der Welt wortreich erstickt und wundern sich, dass die Leiche keine Neugier beim Publikum erzeugt.

Warum soll also ein deutschsprachiger Hörer oder Leser solche Übersetzungen kaufen? Er hat auf dem Markt wunderbare Früchte der Weltliteratur, die so kongenial übersetzt sind, dass man Cervantes, Márquez oder Eco, um nur drei Beispiele zu nennen, so genießen kann, wie Goethe es gemeint hat, als verstünde man die Originalsprache. Ich kann Übersetzern und Sprachliebhabern Ecos Werk »Quasi dasselbe mit anderen Worten« gar nicht genug empfehlen.

Einige Übersetzer aber rochen das Erdölgeld, das bekanntlich stinkt, und traten in die Dienste der arabischen Herrscher. Sie schämen sich überhaupt nicht, Exilautoren anzugreifen und offen für den saudischen König zu arbeiten, wie der oben erwähnte Übel-Setzer Harry. Andere befleißigen sich, Saddam Husseins oder Gaddafis stinkende Romane zu übersetzen, die irgendein noch elenderer Ghostwriter für diese Diktatoren geschrieben hat. Warum sollte ein einziger vernünftiger Mensch diese Beleidigungen des guten Geschmacks lesen?

Die qualitativ guten Werke der arabischen Literatur werden ihren Weg zu den Lesern und Hörern auf der ganzen Welt finden, wenn sich die Autoren an ihre erzählerischen Wurzeln erinnern, nicht im romantischen Sinne zurückgewandt, sondern – wie ich zuvor erklärt habe – von ihnen ausgehend, sie überwinden, so wie Luther sich als guter Katholik an die Wurzeln des christlichen Glaubens erinnerte, um die katholische Kirche zu überwinden und neue Wege zu seinem Arbeitgeber Jesus zu suchen. Hätte er das nicht gemacht, würde die katholische Kirche bis heute den Ablasshandel betreiben. Aber das ist eine andere Geschichte.

Die guten Werke der arabischen Literatur müssen mit Liebe meisterlich geschrieben und übersetzt und großzügig finanziert werden. Geld ist mehr als genug da, aber zurzeit wird es von Maklern und Maklerinnen zur eigenen Bereicherung verschwendet. Die gute Literatur hat davon selten einen Nutzen. Dagegen habe ich geschrieben und werde ich immer schreiben.«

»Dann wundert es mich nicht, dass sie dich hassen«, sagte Ibn Aristo. »Du entlarvst nicht nur ihre Käuflichkeit, sondern auch ihre Inkompetenz in beiden Sprachen.«

»Er spießt sie auf. Das hat er alles von mir gelernt«, rief Don Quijote stolz und nahm einen kräftigen Schluck Wein, wischte sich über die Lippen und zwirbelte genüsslich seinen Schnurrbart. »Ein guter Tropfen, spanisch?«

»Nein, pfälzisch, ein Cabernet Sauvignon aus dem Zellertal.«

»Nun, also«, sagte er und richtete sich auf, stupste Sancho leicht mit der Spitze seines Speers in den Hintern, sodass dieser erschrocken auffuhr. »Wir müssen weiterreisen und den Gerechten helfen. Du brauchst uns nicht mehr. Ich schlage dich zum Ritter der glücklichen Ohren, knie dich nieder.« Sancho rieb sich die Augen, suchte unter den vier Flaschen, bis er eine halbvolle fand, nahm sie und kippte den Rest Wein in sich hinein. »Und du bist sein Knecht«, wandte er sich an Ibn Aristo. Und Ibn Aristo kniete sich neben mich.

»Jeder Verrückte braucht einen Vernünftigen an seiner Seite«, sagte Sancho und kratzte sich am Hintern. »Der Herr ist genauso meschugge wie mein Herr. Kein Wunder, der Ritter der traurigen Gestalt begleitet ihn seit bald fünfzig Jahren.«

Dann hielt Don Quijote eine lange Rede, an deren Worte ich mich kaum erinnere. Den Ritterschlag aber führte er ziemlich kräftig aus. Ich wurde Ritter der glücklichen Ohren und wachte mit schmerzender Schulter auf. Ich lag auf dem Sofa, und das Kaminfeuer war zu einer Glut zusammengeschmolzen.

Ich erzählte oben, dass ich einen seriösen Schluss geschrieben habe. In der Tat war er sehr ernst. Ich lobte darin die Vorteile des Erzählens in einer Zeit, in der vor allem junge Menschen immer mehr verstummen, und ich lobte die Förderung des Erzählens, weil sie zugleich eine andere Kunst fördert, nämlich die des Zuhörens. Hier schrieb ich auch den Satz, den mir ein blinder Nachbar in Damaskus vor fünfzig Jahren gesagt hat: »Sprich, damit ich dich sehe!«

Ich weiß heute, dass der Spruch von Sokrates stammt, aber mein Nachbar war ein Analphabet. Er hatte Sokrates nie gelesen. Er sprach den Satz aus seinem Bedürfnis heraus.

Aber trotz diesem und anderen guten Sprüchen geriet mir der Schluss zu moralisch, zu predigend, und deshalb habe ich diesen langen Abschnitt gestrichen.

Ein Buch lag in der Nähe. Ich habe es aufgeschlagen und ob es Zufall war oder nicht, das Buch schenkte mir den Schluss:

Reinhold Lagrene erzählt bewegend von der großen Rolle, die die mündliche Erzählkultur für die Identität von Sinti und Roma gespielt hat. Sie half seinem Volk, immer wieder stolz auf seine Werte zu sein, gegen die Demütigungen durch die Mehrheit, sich aufzurichten, zu seiner Menschlichkeit zu finden. »Unseren ethnisch-kulturellen Zusammenhalt verdanken wir allein der mündlichen Überlieferung«, sagt er. Als wäre er ein Araber, als wäre er ein Deutscher.

GROSSVATERS BRILLE

Großvater las sein Leben lang immer wieder ein einziges Buch: die Bibel. Er las langsam, sehr langsam. Sein Bild prägte sich unauslöschlich in meinem Gedächtnis ein, gebeugt über das große Buch, den letzten Strahlen der untergehenden Sonne noch etwas Leselicht stehlend. Bei künstlichem Licht wollte er nie lesen.

Und wenn man ihn fragte, was er sich wünsche, so antwortete er: »Dass es im Himmel eine gute Ausgabe der Bibel gibt.« Dort würde er dann unter einem Baum sitzen und Tag und Nacht lesen, denn im Himmel ging nach seiner Vorstellung die Sonne nie unter.

Mit den Jahren wurden seine Augen schwach und er besorgte sich eine Brille vom Krämer am Ende unserer Gasse. Damals gab es weder Optiker noch Augenärzte. Man ging zum Krämer. Dort hingen alle möglichen Brillen, und man probierte so lange, bis man die geeignete fand.

Großvaters Brille veränderte sein Gesicht. Er sah nicht mehr gütig und klug aus, sondern steif, ängstlich und immer erstaunt. Als ich das meiner Großmutter sagte, lachte sie fast hämisch: »Ja, er ist manchmal steif vor Angst, und staunen tut er schon seit seiner Geburt.«

Eines Tages starb der Großvater. Ich war mit meiner Mutter drei Tage verreist, und als wir zurückkamen, lag er im Wohnzimmer und war nur noch steif. Ich trauerte lange um ihn. Er war – in meinen Augen – der beste Großvater der Welt gewesen.

Zwei Wochen später entdeckte ich seine Brille. Sie lag

hinter der Bibel im Bücherregal meines Vaters. Damals las ich, wann ich immer konnte, heimlich ein Buch. Vater hatte behauptet, genau dieses sei nichts für Kinder, und damit die unauslöschliche Flamme meiner Neugier entfacht. Zugegeben, es war ein Buch der großen Prozesse der Geschichte, die immer mit Hinrichtung endeten, so wie bei der französischen Königin Marie Antoinette und Marats Mörderin Charlotte Corday. Ich las darin über Suleiman Al Halabi, den kurdischen Syrer, der von Aleppo nach Kairo ging, um General Kléber, Napoleons Stellvertreter, umzubringen. Jean-Baptiste Kléber war ein Abenteurer aus Straßburg. Er wurde nach dem Attentat verhaftet, bestialisch gefoltert und gepfählt. Aber das ist eine andere Geschichte. Ich wollte nur kurz erzählen, dass ich immer diesen dicken Band aus dem Bücherregal herausnahm, darin las und ihn sorgfältig zurückstellte, damit mein Vater nichts merkte. Er legte immer eine Vogelfeder so raffiniert ins Regal, dass sie nach hinten fiel, wenn man das Buch bewegte. Ich erkannte den Trick und lachte mich kaputt, wenn ich aus der Ferne meinen Vater beobachtete, wie er seine Falle überprüfte, bevor er beruhigt das dicke Buch herausnahm. Er las, wenn nicht die Bibel, auch oft in diesem Buch.

Wie gesagt, eines Tages entdeckte ich die Brille im Bücherregal. Ich eilte mit der Brille zu meiner Großmutter, die uns, aus welchen Gründen auch immer, seit dem Tod des Großvaters oft besuchte. Meine Mutter schien das Kriegsbeil auch begraben zu haben, aber wie ich sie kenne, lag dessen Grab in Reichweite, für den Fall eines Falles. Immer öfter übernachtete die Großmutter jetzt bei uns, wenn sie Doktor Sujufi, ihren Hausarzt, aufsuchen musste. Deshalb richtete meine Mutter das Gästezimmer für sie ein.

»Oma«, sagte ich außer Atem, »Großvater kann im Himmel nicht mehr lesen.«

Die Großmutter schaute mich einen Augenblick lang etwas verwirrt an. »Er soll erst einmal den Himmel kennenlernen, und wenn ich ihm bald folge, nehme ich ihm die Brille mit.«

Die Tage vergingen, und ich bewahrte die Brille sorgfältig auf. Ab und zu setzte ich sie auf und schaute mich im Spiegel an. Ich sah auch erstaunt, steif und ängstlich aus, obwohl ich mich bemühte, eine böse, unerschrockene Miene zu machen.

Ein halbes Jahr später erkrankte Großmutter schwer, und als ich meine Mutter beim Mittagessen zu meinem Onkel sagen hörte, sie fürchte, die Oma werde dem Opa sehr bald folgen, atmete ich erleichtert auf. Ich lief in mein Zimmer, holte die Brille und ging zur Großmutter, die seit Wochen in unserem Gästezimmer untergebracht war. Sie lag blass und geschrumpft im Bett.

»Vergiss die Brille nicht«, sagte ich und sie lachte, dass sie einen Hustenanfall bekam, dann streichelte sie mir den Kopf und nahm die Brille entgegen.

Drei Tage später starb sie. Und die Nachbarn staunten nicht wenig, als sie die Brille im Sarg sahen. Normalerweise legten die Leute einen Rosenkranz in die Hände der toten Frauen. Die Hände meiner Großmutter umklammerten Großvaters Brille.

»Es war ihr ausdrücklicher Wunsch«, erklärte meine Mutter dem erbosten Pfarrer, und ich war nun sicher, dass Großvater an jenem Tag das Lesen wiederaufnehmen konnte.

ANMERKUNGEN FÜR NEUGIERIGE

Seite 8: Schamhuresch ist ein in den arabischen Ländern bekannter Herrscher der Geister und Dämonen.

Seite 8: Der Nachttopf heißt im Damaszener Dialekt »Ardije«, arab. »die Irdische«, und deshalb nannte der Dämon den Großvater verächtlich »Irdisch«.

Seite 17: Renée Holler hat in ihrem Buch mehr als 190 Begriffe gesammelt, Heinrich Hugendubel Verlag, München 1986. Eine Liste findet man im Internet unter: http://www.murmelwelt.de/namen.html.

Seite 19: Eine kleine Probe dieser Poesie der Straßenverkäufer steht in »Damaskus, der Geschmack einer Stadt« (neue, überarbeitete 7. Auflage, Sanssouci im Carl Hanser Verlag, München 2010, S. 11–17).

Seite 21: Die Streitgeschichte mit der Weisheit des Kutschers Salim trägt inzwischen den Titel: »Der Wald und das Streichholz«, aus: »Der Fliegenmelker«, Carl Hanser Verlag, München 1997 S. 23; siehe auch: dtv, München 2009, S. 19.

Seite 21–22: Eine dieser Geschichten, »Als der Angstmacher Angst bekam«, steht im erwähnten Band: »Der Fliegenmelker«: dtv, S. 28.

Seite 34: Erst drei Jahrzehnte später weinte ich eine ganze Nacht über den Tod des Kutschers Salim, als ich ihn sterben lassen musste im Roman »Eine Hand voller Sterne«. Erst da habe ich den Großvater verstanden.

Seite 37: Manchmal auch Scheherazade, Schehersad (in der Übersetzung von G. Weil), Schehrezad (in der Übersetzung von E. Littmann) oder Schahrasad (in der Übersetzung von C. Ott).

Seite 40: Manchmal auch Dinarsad (in der Übersetzung von G. Weil), Dinazad (in der Übersetzung von E. Littmann) oder Dinarasad (in der Übersetzung von C. Ott).

Seite 44: Der Bericht über die drei Kinder, die flehende Scheherasad und der ganze elende Schluss sind nachzulesen in Littmanns Übersetzung, Bd. 6, S. 645–646.

Seite 47: Das Motto ist ein Zitat aus Nietzsche, Friedrich: »Menschliches, Allzumenschliches II«, Meinungen und Sprüche Nr. 270: Das ewige Kind.

Seite 49: Bettelheim, Bruno: »Kinder brauchen Märchen«. DVA, Stuttgart 1975.

Seite 50: Da Vinci, Leonardo: »Der Nussbaum im Campanile«. Verlag Klaus G. Renner, München 1989.

Seite 50: Fromm, Erich: »Haben und Sein«, dtv, München 1979.

Seite 52: Das »Es war einmal« bedeutet für Bloch »märchenhaft nicht nur ein Vergangenes, sondern ein bunteres und leichteres Anderswo« (siehe Bloch, Ernst: »Das Prinzip Hoffnung«, Suhrkamp, Frankfurt a. M. 1959, Bd. 1, S. 410.

Seite 52–53: Aristoteles: »Poetik«. Übersetzung von Olof Gigon. Reclam, Stuttgart 1982, S. 24 ff.

Seite 52–53: Siehe klassische arabische Nachschlagewerke wie »Lisan al Arab« von Ibn al Mansur und »Kamus almuhit« von Feirus al Abadi.

Seite 57: Fromm, Erich: Märchen, Mythen, Träume. Rowohlt Taschenbuch, Reinbek 1981, Kapitel 2 (S. 17 ff.) und 7 (S. 130 ff.).

Seite 58: »Gesammelte Olivenkerne«. Carl Hanser Verlag, München 1997, S. 43; dtv, München 2009, S. 41.

Seite 59: Apuleius: »Amor und Psyche«. Übertragen von August Rode. Manesse, Zürich 1999, S. 60.

Seite 60: Brüder Grimm: »Kinder- und Hausmärchen«, Bd. 1. dtv, München 1984, S. 111.

Seite 60: Der eher konservative Claude Lévi-Strauss kritisierte die eurozentristische Geschichtsauffassung erbarmungslos, die alles Fremde nivelliert. Er revolutionierte die Ethnologie und befreite sie von ihrer Rolle als Dienerin des Kolonialismus. Er verteidigte in seinen Schriften den Wert der Mythen der fremden Völker und stellte sie als gleichberechtigte Weltauffassung neben die begriffliche Denkweise. Man muss seine gesellschaftlich konservativen Ansichten nicht teilen (er lehnte die Rebellion der Studenten und die Aufnahme der Frauen in der Académie Française ab), aber sein Werk ist poetisch und weise. U. a. »Traurige Tropen«. Übersetzt von

Eva Moldenhauer. Suhrkamp, Frankfurt a.M. 1978; »Das wilde Denken«. Übersetzt von Hans Naumann. Suhrkamp, Frankfurt a.M. 1968.

Seite 61: Peseschkian, Nossrat: »Der Kaufmann und der Papagei«. Fischer, Frankfurt 1979, S. 16.

Seite 64–65: Christoph Wieland hat sich dazu bereits 1786 geäußert. Das Märchen vermöge »zwei widersprechende Neigungen« des Menschen gleichermaßen zu befriedigen – die »Liebe zum Wahren« und den »Hang zum Wunderbaren«. Siehe Wieland, Christoph: Sämtliche Werke. Hrsg. G. Gruber, Leipzig 1823, Bd. 48, S. 86.

Seite 66: Vereinfacht gesagt, hat C.G. Jung aus der Psychoanalyse seines Lehrers Freud die Begriffe Bewusstsein und Unbewusstes übernommen, aber er ging weiter. Er teilte das Unbewusste in ein persönliches Unbewusstes und ein kollektives Unbewusstes. Dieses Unbewusste ist nach Jung »nicht individueller, sondern allgemeiner Natur, das heißt, es hat im Gegensatz zur persönlichen Psyche Inhalte und Verhaltensweisen, welche überall und in allen Individuen cum grano salis die gleichen sind«.

Seite 66–67: Nach Jung sind Archetypen universelle Urbilder, die in der Seele aller Menschen, unabhängig von ihrer Kultur und Geschichte, existieren. Es wiederholen sich also bestimmte Motive, Bilder und Symbole, obwohl die Kulturen einander nicht beeinflusst haben. Jung, Carl Gustav: »Die Archetypen und das kollektive Unbewusste«. Gesammelte Werke. Patmos, Zürich 2002, Bd. 9/I, S. 13.

Seite 67: »Kinder- und Hausmärchen« (KHM, Bd. 3). Reclam, Ditzingen, S. 405 f. (417 f.).

Seite 67: Leber, Gabriele: »Über tiefenpsychologische Aspekte von Märchenmotiven«. In: »Praxis der Kinderpsychologie und Kinderpsychiatrie«. 1955, S. 262 und 274–285.

Seite 67: Siehe den Überblicksartikel von Barbara Zinke: »Anthroposophische Theorie«. In: Enzyklopädie des Märchens, Bd. 1. De Gruyter, Berlin, S. 601–609.

Seite 67: Bausinger, Hermann: »Zu Sinn und Bedeutung der Märchen«. In: Jacob und Wilhelm Grimm zu Ehren. Hrsg. v. Hans-Bernd Harder und Dieter Henning. Brüder-Grimm-Gesellschaft, Marburg 1989, S. 13–33.

Seite 68: Eine der interessantesten Arbeiten darüber hat Jack Zipes geschrieben: »Rotkäppchen. Lust und Leid eines europäischen Märchens«. Erweiterte Ausgabe. Ullstein, Frankfurt a. M. 1985.

Seite 69: Die Geschichte »Der Leichenschmaus« ist im Sammelband »Eine deutsche Leidenschaft namens Nudelsalat« erschienen, dtv, München, 2011.

Seite 76: Der heilige Georgios (der heilige Georg), der Drachentöter, ist einer der populärsten Heiligen des Orients und der Ostkirche. Wenn drei Kirchen an einem Ort gebaut wurden, so trugen die ersten zwei den Namen Jesu oder Marias, manchmal auch des Heiligen Geistes. Die dritte wurde mit Sicherheit dem Märtyrer Georgios geweiht. Georgios, ein römischer Offizier, der in Kappadokien (heute in der Türkei) geboren wurde, starb nach einer barbarischen Folter den Märtyrertod in Lydda (Palästina) um 303 (bzw. 305) bei der Christenverfolgung (unter Diokletian 284–305). Er ist der beliebteste Heilige nicht nur in meinem Dorf. Er ist seit 1222 der Patron Englands. Sein Festtag gehört zu den höchsten des Landes. 160 Kirchen wurden dort dem Märtyrer geweiht. Das Land Georgien hat seinen Namen von ihm. Die Dardanellen hießen einmal »Meeresenge des heiligen Georgios«. Der Islam verehrt ihn als Propheten. Und dann kommt Papst Paul VI. und begeht eine der unzähligen Dummheiten der katholischen Kirche. Er entfernt in eurozentristischer, fast autistischer Manier 1969 den Namen des heiligen Georgios offiziell aus dem katholischen Heiligenkalender. Das heißt, Georgios wurde als Heiliger abgeschafft. Den Papst störte ein Heer von Mördern und Hurenböcken unter den europäischen Heiligen nicht. Die Liste ist lang, sie fängt mit dem großen Kriegshetzer Bernhard von Clairvaux an und endet nicht mit dem Massenmörder Urban II. und dem Kriegsverbrecher und Mörder König Ludwig IX., um nur drei selig- oder heiliggesprochene Kriegshetzer und Mörder zu nennen.

Diese Tat des Vatikans löste einen heftiger Protest im Orient aus. Alle Gemeinden lehnten die Empfehlung des Papstes ab. Die Kirchen tragen bis heute den Namen Georgios. Erst 1975 nahm der Vatikan, leise und feige wie immer, die Degradierung zurück und nahm den heiligen Georgios wieder in seinen langweiligen Heiligenkalender auf.

Seite 77: Knochenleim haben bereits die alten Ägypter gebraucht.

Er wird aus Rinderknochen gewonnen. Die Knochen werden entfettet, gebleicht und entmineralisiert. Dabei lösen sich die im Knochen enthaltenen Kollagene und verwandeln sich in Glutin, eine gallertartige Masse. Dieser Rohleim wird eingedampft, um überflüssiges Wasser zu entfernen. Die Arbeit ist langwierig und mühselig. Deshalb entwickelte sich auch die Redensart »Arbeiten wie ein Leimsieder« als Beschreibung für jemanden, der langsam arbeitet. Im Bayerischen und Österreichischen ist die Bezeichnung »Loamsieder« bzw. »Loamsiada« eine Schmähung. Es bezeichnet einen langweiligen oder geistig langsamen Menschen.

Man erhält den Knochenleim als Granulat. Der Knochenleim wird durch Erhitzen flüssig und anwendbar als Klebstoff (im Wasserbad, da höhere Temperatur den Leim zersetzt).

Seite 78: Die Andeutung des Esels, sein Besitzer habe ihn verraten, ausgebeutet und nun im Alter den Wölfen überlassen, wird hier als Verehrung des portugiesischen Erzählers Miguel Torga erwähnt (»Tiere«, Piper, München 1992).

Seite 87: Der Einseifer ist ein Mitarbeiter des Bades, der die Gäste gegen einen geringen Lohn einseift, rubbelt, wäscht und massiert. Wenn man den Gang überlebt, fühlt man sich wie neugeboren, und bekanntlich fühlen Neugeborene sich nicht sonderlich gut, sonst würden sie nicht schreien.

Seite 99: Motto von Karl Kraus in der »Fackel« 288, S. 14.

Seite 99: Dieser Text wurde in zwei Folgen als Antrittslesung zur Brüder-Grimm-Professur der Universität Kassel am 19.5.2010 und 20.5.2010 gehalten. Die heikle Arbeit bestand in der Formulierung eines schriftlichen Beitrags nach Regeln der *mündlichen* Erzählkunst. Am besten kommt dieser Text mit vier verschiedenen Stimmen zur Geltung: ein Erzähler mit warmer Stimme, der alte Don Quijote, fiebrig, aufbrausend, Ibn Aristo kühl, bisweilen langweilig und belehrend, und Sancho Panza, dessen Stimme nie von Sarkasmus und Ironie frei ist.

Seite 100: Später, in meinem deutschen Exil, stand mir die Übersetzung des österreichischen Hispanisten Anton M. Rothbauer zur Verfügung, doch im vergangenen Jahr las ich auf einer langen Tournee die beste und kongeniale Übersetzung von Susanne Lange. Das ist Don Quijote, wie er leibte und lebte. Und zum ersten Mal ist mir

Sancho Panza in seiner Vielschichtigkeit klar geworden (Cervantes: »Don Quijote von der Mancha«. Hanser, München 2008).

Seite 102: Wie ich das u.a. in den Romanen »Das Geheimnis des Kalligraphen«, »Erzähler der Nacht«, »Die dunkle Seite der Liebe«, sowie in meinem Essayband »Damaskus im Herzen« mehrfach behandelt habe.

Seite 107: Aristoteles: »Poetik«, S. 36 f.

Seite 108: Siehe Ibn Khaldun: »Buch der Beispiele, al Muqaddima« (Die Einführung), Kap. II, 23. Abschnitt. Reclam Verlag, Leipzig 1992.

Seite 114: Es waren die Kurzgeschichten, die später unter dem Titel »Der Fliegenmelker« erschienen sind. Und obwohl alle Geschichten bereits zehn Jahre vor dem letzten Putsch geschrieben worden waren, durch den der Beamte zum Zensor wurde, wollte er sie verbieten, da er annahm, dass die Kritik seinem eigenen Regime galt.

Seite 116: Rifkin, Jeremy: »Die empathische Zivilisation«. Campus, Frankfurt a. M. 2010, S. 127.

Seite 117: Vietta, Silvio: »Europäische Kulturgeschichte«. Wilhelm Fink Verlag, Paderborn 2007, S. 70–72.

Seite 118: Platon: Werke. Übersetzt von Ernst Heitsch, Bd. III, 4: »Phaidros«. Vandenhoeck & Ruprecht, Göttingen 1993, S. 60–65.

Seite 119: Rifkin, Jeremy: »Die empathische Zivilisation«. Campus, Frankfurt a. M. 2010, S. 147.

Seite 121: Cervantes: »Don Quijote«, neu übersetzt v. Susanne Lange, Hanser, München, 2008, Bd. 1, S. 117.

Seite 121: Cervantes, ebenda S. 257 ff.

Seite 127: Platon: »Das Trinkgelage oder Über den Eros«. Insel Verlag, Frankfurt, Leipzig 2004.

Seite 127–128: Rifkin, Jeremy: »Die empathische Zivilisation«. Campus, Frankfurt a. M. 2010, S. 128, 147.

Seite 134: Ich habe viel über die Angst unter der Diktatur geschrieben und versuche hier die Tiefe der Angst zu zeigen, die sich in den Seelen der Araber durch fünfzig Jahre Diktatur einnistete. Manchmal ist eine kleine Geschichte viel weiser und überzeugender als viele Reden. Nach einer Lesung in Hamburg saßen wir bei einem Wein zusammen, und man erzählte viel. Ich habe das Gefühl, dass man ahnt, wie süchtig ich nach Anekdoten, Gerüchten und Geschichten bin. Plötzlich fangen schweigsame Menschen an, sich an Ereignisse in ihrer Kindheit zu erinnern. So auch an jenem Abend. Ein ägyptischer Chirurg, der von sich sagte, er erzähle nie, rückte zu mir. Er grüßte mich, als wären wir alte Freunde, und begann zu erzählen. »Als Kind träumte ich wie alle Kinder, später ein sehr berühmter Mann zu werden. Auch andere Kinder taten das und traten bei Festen in Offiziersuniformen auf, behängt mit all den Klunkern und Orden. Die Mädchen waren natürlich Prinzessinnen mit Krone und Strass. Als ich meinem Vater, einem bekannten Anwalt, sagte, ich will ein berühmter Journalist werden, brachte er mir eines Tages, kurz vor einem großen Familienfest, die Kleider eines Gefangenen mit. Ich verstand den Hinweis und wurde Chirurg.«

Seite 140: Dawid Borissowitsch Rjasanow (eigentlich Goldendach) war einer der größten Intellektuellen und Humanisten des 20. Jahrhunderts. Er leitete lange Zeit das Marx-Engels-Institut in Moskau und war Herausgeber der MEGA (Marx-Engels-Gesamtausgabe). 1922 geriet er in einen Konflikt mit Stalin, wurde verhaftet und nach Saratow verbannt, wo er seine Forschungen weiter betrieb. Schließlich fiel er dem großen Terror (1936–38) zum Opfer und wurde am 21.1.1938 erschossen. Sein Wissen war legendär. Er habe, hieß es, bei jedem literarischen oder philosophischen Thema aufstehen und einen präzisen Vortrag dazu halten können. Erst im Jahr 1990 wurde er rehabilitiert.

Seite 141: Heute gebraucht man das Adjektiv »romantisch« vor allem im Zusammenhang mit Sehnsucht und Liebe. Die Film- und Musikindustrie belastete den Begriff mit dem Beigeschmack von verklärter, nicht selten kitschiger Liebe. Der Ursprung des Begriffs hat damit nichts zu tun. Das Wort bedeutet schlicht »in lingua romana«, in romanischer Sprache, das heißt, in der Sprache des Volkes schreiben, also nicht auf Lateinisch. Inhaltlich bedeutete dieser historische Schritt Abwendung von der Antike und Hinwendung zu Themen der eigenen Gesellschaft. Daher rückten die Volksmärchen, Mythen und Sagen in den Mittelpunkt der Romantiker. Das Wort ist übrigens der Ursprung der Bezeichnung Roman als literarischer Gattung.

Seite 145: Untersuchungen über die neue Kommunikation, z.B. Androutsopoulos, Jannis/Schmidt, Gurly (2002): »SMS-Kommunikation: Ethnografische Gattungsanalyse am Beispiel einer Kleingruppe«. In: »Zeitschrift für Angewandte Linguistik« 36, S. 49–80.

Seite 152: Goethe: »Maximen und Reflexionen«. Nachlass, »Über Literatur und Leben«, Nr. 1056. In: Goethe: Sämtliche Werke, Carl Hanser Verlag, München 1991, Bd. 17, S. 896.

Seite 153: »Maximen und Reflexionen«, Nr. 299, ebenda, S. 773.

Seite 153: Cervantes in der neuen Übersetzung von Susanne Lange. Márquez in der Übersetzung von Curt Meyer-Clason, Dagmar Ploetz oder Tom Koenigs. Umberto Eco in der Übersetzung von Burkhart Kroeber.

Seite 153: Eco, Umberto: »Quasi dasselbe mit anderen Worten. Über das Übersetzen«. dtv, München, 2009.

Seite 154: Saddam Husseins angeblicher Roman ist ein Machwerk kitschigster Art mit ungewollter Komik, von einem bekannten ägyptischen Ghostwriter produziert, der lange als Gast des Diktators in Bagdad lebte, während seine irakischen Kollegen Exil und Folter ertragen mussten. Übersetzt wurde der Roman, der nichts anderes ist als übler Mundgeruch eines primitiven Mörders, von Doris Kilias, und als ob das nicht reichte, noch ein zweites Mal von Michel Billot. Gaddafis Machwerk wurde von Gernot Rotter übersetzt.

Seite 156: Mein aufmerksamer Lektor und Verleger Michael Krüger hat mich später darauf aufmerksam gemacht, dass Günter Eich (1907–1972) ein Hörspiel mit dem Titel »Sprich, damit ich dich sehe« geschrieben hat.

Seite 156: Lagrene, Reinhold: »Mündliche Erzählkunst als Volkskultur. Betrachtungen aus der Innensicht«. In: Solms/Strauß (Hrsg.): »›Zigeunerbilder‹ in der deutschsprachigen Literatur«. Wunderhorn Verlag, Heidelberg 1995, S. 95 f.

Seite 158: Suleiman al Halabi gilt in Syrien und im ganzen Orient als Held. Die Franzosen zeigen aber seinen Schädel im »Musée de l'Homme« mit der Aufschrift: Schädel eines Verbrechers.

Zum Abschluss muss ich noch einen Dank aussprechen: Dieser Vortrag wäre ohne die vielen wissenschaftlichen Arbeiten bestimmt schlechter ausgefallen. Ich fühle eine tiefe Dankbarkeit gegenüber den Autoren, die sich solch große Mühe gegeben haben, um Licht in den dichten Wald der Sprache zu bringen. Ich kann sie nicht alle nennen, aber ein paar sollen als Stellvertreter genannt werden: Noam Chomsky, Walter J. Ong, Hadi Al Alawi, Firas Al Sawah, Ibrahim Anis, Bu Ali Yasin, Hartmut Günther, Otto Ludwig, Paul Watzlawick, Edward R. Haymes, Peter Koch und Wulf Österreicher.

INHALT

Rafik Schami im dtv

»Meine geheime Quelle ist die Zunge der anderen. Wer erzählen will, muß erst einmal lernen zuzuhören.«
Rafik Schami

Das letzte Wort der Wanderratte
Märchen, Fabeln und phantastische Geschichten
ISBN 978-3-423-10735-8
»Die Fortsetzung von ›Tausendundeiner Nacht‹ in unserer Zeit.« (Jens Brüning, SFB)

Die Sehnsucht fährt schwarz
Geschichten aus der Fremde
ISBN 978-3-423-10842-3
Das Leben der Arbeitsemigranten in Deutschland: von Heimweh, Diskriminierung, Behördenkrieg und Sprachschwierigkeiten – und von kleinen Siegen über den grauen Alltag.

Der erste Ritt durchs Nadelöhr
Noch mehr Märchen, Fabeln & phantastische Geschichten
ISBN 978-3-423-10896-6
Von tapferen Flöhen, einem Schwein, das unter die Hühner ging und anderen wunderbaren Fabelwesen.

Das Schaf im Wolfspelz
Märchen & Fabeln
ISBN 978-3-423-11026-6
Märchen und Fabeln, die bunt und poetisch erzählen, was ein Schaf mit einem Wolfspelz zu tun hat…

Der Fliegenmelker
Geschichten aus Damaskus
ISBN 978-3-423-11081-5
Vom Leben der Menschen im Damaskus der 50er Jahre: Liebe und List, Arbeit und Vergnügen in unsicheren Zeiten.

Märchen aus Malula
ISBN 978-3-423-11219-2
Aus Malula, dem Heimatort von Rafik Schamis Familie, stammt diese Sammlung von Geschichten, die durch Zufall wiederentdeckt wurde.

Erzähler der Nacht
Roman
ISBN 978-3-423-11915-3
Salim, der beste Geschichtenerzähler von Damaskus, ist verstummt. Sieben seiner Freunde besuchen ihn Abend für Abend und erzählen die Schicksalsgeschichten ihres Lebens, um ihn zu erlösen.

Eine Hand voller Sterne
Roman
ISBN 978-3-423-11973-3
Das Tagebuch eines Damaszener Bäckerjunge: Von Schönem, Poetischem und Lustigem, aber auch von Armut und Angst erzählt er.

Bitte besuchen Sie uns im Internet: www.dtv.de

Rafik Schami im dtv

Der ehrliche Lügner
Roman
ISBN 978-3-423-12203-0
Geschichten aus dem Morgenland, die Rafik Schami in bester arabischer Erzähltradition zu einem kunstvollen Roman verwoben hat.

Vom Zauber der Zunge
Reden gegen das Verstummen
ISBN 978-3-423-12434-8
Vier Diskurse über das Erzählen, wie sie lebendiger und lebensnäher nicht sein könnten.

Reise zwischen Nacht und Morgen
Roman
ISBN 978-3-423-12635-9
Ein alter Circus reist von Deutschland in den Orient. Über die Hoffnung im Angesicht der Vergänglichkeit.

Gesammelte Olivenkerne
aus dem Tagebuch der Fremde
ISBN 978-3-423-12771-4
Mit kritischem und amüsiertem Blick auf das Leben in Arabien und Deutschland schreibt Schami über eine Traumfrau, einen Müllsortierer, über Liebende oder Lottospieler.

Milad
Von einem, der auszog, um 21 Tage satt zu werden
Roman
ISBN 978-3-423-12849-0
Eine Fee verspricht dem armen Milad einen Schatz, wenn er es schafft, 21 Tage hintereinander satt zu werden.

Sieben Doppelgänger
Roman
ISBN 978-3-423-12936-7
Doppelgänger sollen für Rafik Schami auf Lesereise gehen, damit er in Ruhe neue Bücher schreiben kann …

Die Sehnsucht der Schwalbe
Roman
ISBN 978-3-423-12991-6 und
ISBN 978-3-423-21002-7
»Mein Leben in Deutschland ist ein einziges Abenteuer.« Ein Buch über Kindheit und Elternhaus, Liebe und Hass, Fürsorge und Missgunst und die Suche nach Geborgenheit.

Die dunkle Seite der Liebe
Roman
ISBN 978-3-423-13520-7 und
ISBN 978-3-423-21224-3
Zwei Familienclans, die sich auf den Tod hassen und eine Liebe, die daran fast zerbricht.

Rafik Schami im dtv

Mit fremden Augen
Tagebuch über den 11. September, den Palästinakonflikt und die arabische Welt
ISBN 978-3-423-**13241**-1
Poetisch geschriebene Tagebuchaufzeichnungen von Oktober 2001 bis Mai 2002 – getragen von dem Wunsch nach einer friedlichen Aussöhnung zwischen Israelis und Palästinensern.

Das Geheimnis des Kalligraphen
Roman
ISBN 978-3-423-**13918**-2 und
ISBN 978-3-423-**19141**-8
(AutorenBibliothek)
Die bewegende Geschichte des Damaszener Kalligraphen Hamid Farsi, der den großen Traum einer Reform der arabischen Schrift verwirklichen will und sich dabei in Gefahr begibt.

Damaskus im Herzen
und Deutschland im Blick
ISBN 978-3-423-**13796**-6
Ernsthafte und unterhaltsame Betrachtungen eines syrischen Deutschen zwischen Orient und Okzident, ein Plädoyer für mehr Toleranz und das Buch, in dem sich Schamis persönliches und politisches Credo am leidenschaftlichsten ausdrückt.

Eine deutsche Leidenschaft namens Nudelsalat
und andere seltsame Geschichten
ISBN 978-3-423-**14003**-4
Ein liebevoller Brückenschlag zwischen Orient und Okzident: Beobachtungen aus dem deutschen Alltag.

Die Frau, die ihren Mann auf dem Flohmarkt verkaufte
oder wie ich zum Erzähler wurde
ISBN 978-3-423-**14158**-1
Ein Mann, der keine Geschichten erzählen kann, riskiert, von seiner Frau verkauft zu werden – eine Lektion, die der 7jährige Rafik von seinem Großvater lernt und so beschließt er, Frauen immer Geschichten zu erzählen, damit sie ihn nicht verkaufen.